collection
cascade

GILBERTE NIQUET

LE JOUR DU MATCH

ILLUSTRATIONS DE CHRISTIAN MAUCLER

RAGEOT•ÉDITEUR

Collection dirigée par Caroline Westberg

Couverture : Christian Maucler
ISBN 2-7002-1143-X
ISSN 1142-8252

PRÉFACE

Les histoires où les enfants sont rois dans leur univers ont toujours occupé une grande place dans mon cœur, et ce depuis ma plus tendre enfance. Peut-être tout simplement parce qu'elles m'ont empêché de grandir trop vite. Surtout, elles m'ont appris à comprendre et à aimer le monde.

Dans ce livre, tiré d'une histoire vraie, je me suis replongé avec délice au cœur d'une aventure où les « Briqueteux » m'ont rappelé les meilleurs moments de ma jeunesse.

Madame, vous avez donné beaucoup de vous-même dans ce livre et vous l'avez fait pour une noble et bonne cause : tous les droits d'auteur de ce livre iront, en effet, à l'association « Choisir l'Espoir » afin de venir en aide aux enfants atteints du cancer. Il s'agit de les aider à mieux vivre leur mal et de leur apporter un peu de joie.

J'encourage tous les jeunes à lire ce livre que j'ai aimé. Cette belle histoire tourne autour d'un ballon rond, ce qui devrait ravir tous les passionnés de ce sport populaire.

Voici pour terminer, et pour souhaiter tout le bonheur possible à ces enfants malades, qui pourraient être les nôtres, ces quelques vers que j'ai écrits spécialement pour eux :

Le rêve et l'espoir sont deux grandes étoiles
Qui brillent dans le noir et ouvrent le chemin
Au monde des géants. Au milieu de la toile,
Il y a deux enfants qui se donnent la main,
Du rire plein les yeux. C'est déjà le matin.
Ils ont CHOISI L'ESPOIR et le rêve. Et demain,
Les géants oublieront que les larmes autrefois
Habitaient ces yeux noirs qui ne souriaient pas.

Joël BATS

LES BRIQUETEUX

Les deux clochers de Bequerin et de Dochy égrenèrent ensemble les coups de l'angélus. À cette époque, où la France venait tout juste de sortir de la guerre, on sonnait encore l'angélus.

Bequerin et Dochy sont deux bourgs de la région lilloise, situés entre ville et campagne. Ils annoncent la grande plaine flamande qui se déroule après eux. Ils en sont en quelque sorte les bornes. Les deux villages ne sont pas mitoyens mais voisins. Un gros boqueteau nommé Bois Tiercelin les sépare. À vol d'oiseau, il n'y a pas cinq minutes entre les deux communes. Quand ils lèvent les yeux, Bequerinois et Dochinois voient les mêmes nuages. Ils aperçoivent aussi une sorte de héron de ciment au long cou. C'est le mirador d'une gare de triage toute proche. En dépit de ce nœud ferroviaire, Bequerin et Dochy sont bien la campagne. Les coqs s'enrouent tous les jours en annonçant l'aube dans les cours de leurs fermes ; une odeur fraîche de fumier et de vent flotte dans leurs rues comme une écharpe déployée ; et le calme emplit le ciel des deux villages.

Le calme, mais non la paix. Du moins en ce qui concerne les enfants. Pour une hutte détruite un jour dans le Bois Tiercelin, les garçons de Bequerin et de Dochy vivaient, depuis deux ans, en état d'hostilité. C'était Dochy qui avait détruit la hutte de Bequerin. Sans raison, sans explication ; comme ça. Il n'en était resté que des brindilles. Une belle hutte pourtant, qui ne ressemblait ni aux paillottes africaines ni aux cabanes des hommes préhistoriques. Une hutte inimitable, comme tout ce que faisaient les « Briqueteux ».

Ces derniers habitaient Bequerin. Ils regroupaient une bonne partie des garçons âgés de dix à treize ans. En cette année 1948, les Briqueteux constituaient donc à peu de choses près la moitié de l'effectif de l'école communale des garçons.

Pourquoi les avait-on surnommés ainsi ? Parce que ce terme, dans le langage familier du Nord, était un sobriquet qu'on se donnait affectueusement entre copains : « Va donc, eh... Briqueteux ! », ce qui équi-

11

valait à dire : « Va donc, eh... sacré gaillard !
Sacré toi ! » Les Briqueteux avaient fini par
adopter ce surnom. En somme, ils s'étaient
surnommés eux-mêmes.

Ils se retrouvaient donc à l'école de garçons et s'organisaient alors pour limiter
l'autorité d'Aristide, l'instituteur. Il y avait
les choses acceptables et celles qui ne
l'étaient pas. Pour ces dernières, les Briqueteux imaginaient des solutions. Celles-ci
n'étaient jamais pareilles ; on les inventait
selon les circonstances. Mais quelle que
soit la solution choisie, les ripostes étaient
toujours efficaces, et les choses inaccep-
tables étaient fermement repoussées. Aristide était rarement gagnant.

Les Briqueteux se retrouvaient également à la sortie de l'école. Et, jusqu'à
l'heure où les mères de famille exigeaient
le retour des enfants à la maison (entre 18
et 20 heures, selon les saisons), ils vivaient
des heures savoureuses. Ces moments-là
ressemblaient à ce qu'est la nature au printemps : débordante de vie. Les Briqueteux
ne s'ennuyaient jamais et trouvaient toujours les jeux qui leur convenaient.

Dans la commune, on ne disait pas « les
Briqueteux », on disait « les gosses » ou

« les gars ». Les adultes ne connaissaient pas le surnom qu'avaient pris leurs enfants. Mais cela n'était pas étonnant : en 1948 comme aujourd'hui, les adultes savaient peu de choses des enfants.

Les Briqueteux, de toute façon, n'avaient pas besoin des grandes personnes pour jouer. Ils s'étaient organisés tout seuls, entraînés par la fougue du « Roi-des-Énigmes » et de Biloute.

Le « Roi-des-Énigmes » avait treize ans. Son véritable nom était Guy Lavigière. Mais les Briqueteux l'avaient surnommé ainsi à cause de la rapidité étonnante avec laquelle ce garçon, long et mince comme une lame d'épée, analysait une situation. Aucun mystère, même le plus difficile, ne lui résistait. Il disait : « Il se passe ceci. » Et il ajoutait aussitôt : « Il faut faire cela. » Et cette solution était juste.

Et puis, il y avait Biloute. Le grand Biloute. Son corps massif et sa peau cuite comme celle des trappeurs, exprimaient la solidité. Son regard était gris comme le mercure. Biloute ne disait pas comme le Roi-des-Énigmes : « Il faut faire cela. » Biloute parlait et bougeait aussitôt. Il disait, par exemple : « Foncez ! » et il était déjà dans l'action. Il parlait aussi comme on plante une cognée dans le bois. Ferme. Il n'était pas le second du Roi-des-Énigmes. Il était son complément, et l'entente entre eux était parfaite.

Ce soir de janvier 1948, le grand Biloute sortit de chez lui et referma soigneusement le portillon de son jardin. Il habitait avec son père une petite maison de cheminots dans un lotissement situé à l'est de Bequerin. Dix-sept heures sonnaient au clocher du village. Le ciel était triste. Il avait une couleur blanchâtre avec, çà et là, des taches grises. Biloute pressa le pas et se dirigea vers la butte, lieu de rendez-vous des Briqueteux. Il froissait dans sa poche le message que le gros Joé avait fait circuler pendant la leçon de grammaire :

À les ceux qui sont libres.
Rassemblement à la butte après l'école.
Faisez vite à venir. C'est pressé.

Joé

Pour son copain Biloute, Joé avait ajouté :

Grand,
Si tu peux, emmène ton thermos avec toi.
Fais-nous une goutte de fraîche café bouil-
lante, avec un peu de gnôle si c'est possible.
Mais pas de berlot * surtout. Ça remonte pas
et ça donne envie de pisser. Salut.

Le grand Biloute avait suivi la consigne de Joé. Le thermos était enfoncé dans la poche de sa veste, et le garçon remontait à présent rapidement l'allée des Coquelicots qui menait à la butte. Chemin faisant, il croisa une fille. Ses cheveux blonds lui rappelèrent Fanette.

Fanette avait quinze ans et préparait son brevet. Elle habitait à Densart, une banlieue lilloise située à quelques kilomètres de là. Ses cheveux blonds et sa peau claire s'imprégnaient constamment de lumière. Si bien qu'on avait l'impression que la lumière bougeait toujours sur elle. Et sous la moisson des cheveux, ses yeux étaient comme deux bleuets. Fanette n'était certes pas laide mais n'était pas non plus une

* Café fade, très dilué dans de l'eau.

beauté. Elle était un peu d'été et de mer du Nord mélangés. Que faisait-elle parmi les Briqueteux, elle qui aimait la poésie et les beaux livres ? Allez savoir ! Les Briqueteux l'avaient connue par la sœur de l'un d'eux qui était son amie. Et le courant était passé tout de suite. Depuis, Fanette rejoignait souvent les Briqueteux. Elle était leur complice.

Le grand Biloute ne pensa pas très long-temps à Fanette. Vite, il se concentra sur le message du gros Joé : « Pourquoi celui-ci les convoquait-il à la butte ? Et pourquoi avait-il souhaité qu'on emportât un thermos de café ? » Biloute ne trouvait pas de réponse à ces questions, mais il savait qu'on pouvait faire confiance à Joé. Celui-ci n'agissait jamais à la légère. S'il avait convoqué les copains, c'est qu'il avait une bonne raison. Avec sa coiffure ronde, sa corpulence, et la force calme qui éma-nait de lui, le gros Joé faisait penser à une tour. Dans les coups durs, les Briqueteux avaient une totale confiance en lui.

« Il aura peut-être rencontré Fallotin, se dit Biloute, et il aura su quelque chose. » Fallotin habitait à l'entrée du Bois Tiercelin, côté bequerinois. Il avait un corps maigre de chat échaudé, avec de grandes oreilles et des cheveux roux toujours en désordre sur son front. Il n'était pas bohémien et n'appartenait à aucune troupe de forains, mais il vivait dans une roulotte avec un vieil homme qui était un parent éloigné. Fallotin ignorait où il était né et ne cherchait pas à le savoir. Il était partout chez lui. Lorsqu'il arrivait quelque part, il savait qu'il ne resterait pas bien longtemps, et cela ne l'inquiétait pas. Il semblait guidé par les étoiles. Par ailleurs, il adorait la nature. L'eau, l'air, le feu, l'humus, étaient comme ses frères. Parfois, il ramassait une écorce d'arbre sur le sol, l'examinait et hochait la tête sous le regard un peu surpris des Briqueteux. Elle lui avait révélé un secret.

Il ne faisait pas partie des Briqueteux, mais quand il les rencontrait dans une allée du bois, ou sur le velours côtelé des labours, il était fraternel autant qu'un être comme lui pouvait l'être.

Quant aux Dochinois, Fallotin évitait leur

contact. Lorsqu'il les apercevait, il devenait comme un passe-muraille : fuyant, muet, lointain.

« Fallotin aura découvert quelque chose, se dit Biloute, et il se sera arrangé pour que Joé le sache. » De tous les Briqueteux, Joé était le préféré de Fallotin. Peut-être à cause de son caractère. Joé était d'une grande honnêteté, et, pourtant, il lui arrivait de ruser habilement. Mais ça n'était pas pour tromper ; c'était parce que la ruse était alors le seul moyen d'amener les Briqueteux à leur but. Et Fallotin avait de l'estime pour cela.

Biloute pressa le pas. La butte était en vue. De loin, on l'apercevait avec son panache de broussailles au sommet. La butte était située à la fin du village. C'était une sorte de petit fortin posé là par la nature. Mais sa dimension la rendait dérisoire, car sa hauteur n'excédait pas trois mètres. Les Briqueteux en avaient fait leur quartier général. Ils aimaient s'y retrouver, non pour jouer, mais pour discuter et y prendre les grandes décisions.

Aujourd'hui, par le froid qu'il faisait, la butte avait un aspect rude : sol gelé, herbe poissée par le givre, broussailles dénudées montrant leurs ronces comme des dents. Cela n'avait pas découragé les Briqueteux. La tribu était presque au complet. À cause du « fraîche café » qu'il avait fallu faire, le grand Biloute était l'un des derniers. Il franchit d'un bond les deux mètres qui le séparaient de la butte et rejoignit ses camarades.

CONSEIL DE GUERRE

Le gros Joé achevait son discours lorsque le dernier Briqueteux arriva. Blond, mince et silencieux, comme un serpent de lune, Jean-Louis Finette se faufila entre la carrure de Biloute et la pèlerine bleue de Popaul.

– Voilà, résuma Joé, Fallotin nous fait dire que les Dochinois sortent tous les soirs depuis six jours. Ils rentrent dans le bois par le trou des Gaillettes et ils marchent tout droit, vers l'ouest. Donc, vers nous. Ils sont sûrement en train de manigancer quelque chose ; et, si on les laisse faire, ça va nous retomber sur le nez un de ces jours.

– À cul * ! dit Marcel Mouche.

– Faut qu'on parte en patrouille de nuit dès ce soir, dit Popaul.

* En ce temps-là, les Américains venaient tout juste de libérer l'Europe. Leurs chewing-gums et leurs mots ne s'étaient pas encore répandus en France. Faute de connaître : « O.K. », les Briqueteux disaient : « À cul ! » Mais les deux expressions avaient le même sens.

– C'est samedi, objecta Charlot Bidu ; y a les confesses et y a les bains à prendre.

De fait, le samedi était le jour du nettoyage. L'âme et le corps y passaient. On allait se confesser entre dix-sept heures et dix-neuf heures ; puis on rentrait à la maison, et on se baignait dans un baquet de bois, car les salles de bains n'existaient pas encore, si ce n'est dans les demeures bourgeoises. Les mamans déversaient des brocs d'eau chaude dans une cuve, placée au centre de la cuisine. On s'y asseyait, on se frottait au savon de Marseille, et on sortait de là rougeaud et moite. Puis on enfilait un pyjama bien propre. Alors, les cheveux soigneusement peignés, les ongles des orteils coupés de près, on se mettait à table.

Les Briqueteux savaient combien leurs parents tenaient à ce rituel. Ils mesuraient donc l'ampleur de l'événement qu'envisageait Popaul en demandant une sortie nocturne dans le bois. Mais, d'un autre côté, comme le disait Paul Zoonekynd : « On pouvait pas laisser passer ça ! »

– D'abord et d'une, développa le garçon, ils nous font endêver. Ensuite, et de deux, un de ces matins on va se faire berner ; et ça sera tant pire pour nous.

– Oui, dit l'orateur.

Et les Briqueteux attachèrent de l'importance à ce oui. Car c'était René Berland qui l'avait prononcé. Et ce petit noiraud, coiffé d'un béret basque, avait des rapports mystérieux avec les mots. Il en usait rarement, mais lorsqu'il s'exprimait, les mots étaient toujours ceux qui convenaient. C'est pourquoi les Briqueteux l'avaient surnommé « l'orateur », c'est-à-dire : « celui qui parle bien ».

– Oui, dit donc l'orateur.

Un silence passa sur la butte, chargé de réflexion et de gravité. Chacun sentait que plus rien ne serait pareil ensuite. Ou les Briqueteux ne réagissaient pas et laissaient les Dochinois « manigancer quelque chose contre eux » ; ce serait alors la honte, et l'honneur de la tribu s'en trouverait terni pour toujours. Ou les Briqueteux réagissaient et partaient vers un affrontement qui pourrait être périlleux. Mais l'honneur de la tribu serait sauf.

Ce fut Biloute qui parla le premier, et déjà il était debout.

– Allez, à cul, on y va ! On va aller se cacher dans le bois, et si les ceux de Dochy i'rappliquent, eh ben, on regardera ce qu'ils font. Et en fonction de ça, on décidera. Pour les parents, on mettra tout sur le dos d'Aristide. On inventera une « craque », et on dira que c'est obligatoire.

– Aristide ! dit Dédé Béhague. Il va jamais vouloir !

– On ne le préviendra pas, expliqua Biloute. On racontera qu'il vient de faire une leçon sur les étoiles et qu'il a dit qu'on devait les observer ce soir... On dira même qu'il fera une interro lundi matin pour voir si on lui a bien obéi.

Entre les cils du Roi-des-Énigmes une lueur vive passa. Sa décision était prise :

– À cul ! Rendez-vous ici dans deux heures. On fera trois patrouilles. Je prendrai la première, Biloute la deuxième, et Joé la dernière. Mettez des grosses chaussettes sur vos godasses, car il faudra éviter le bruit à tout prix. Exécution.

Chacun s'en retourna chez soi. « L'exécution » ne faisait aucun doute. Chaque Briqueteux serait au rendez-vous sur la butte, quoi qu'il arrive. Mais plus d'un se grattait la tête en songeant à la façon dont il annoncerait la nouvelle aux parents. Même pour Charlot Bidu, spécialiste des « craques », l'affaire s'annonçait délicate. Et puis, il y aurait les conséquences : quand les parents découvriraient que les garçons avaient menti. Ce ne serait pas immédiat, car les parents ne voyaient pas Aristide régulièrement. Un jour, pourtant, la vérité apparaîtrait. Et ce jour-là !... Selon le tempérament de leurs parents, les Briqueteux pensaient : « Je vais recevoir une belle danse ! » ou « Qu'est-ce que je vais entendre comme catéchisme ! » ou encore : « Plus de sorties pendant au moins quinze jours ! »

Mais pour l'instant, l'urgence était de faire face à la réalité : les Dochinois préparaient quelque chose dans le bois, et, comme le disait Popaul : « On pouvait pas laisser passer ça. » Chacun rentra chez soi et annonça, à sa manière, « qu'il devait absolument observer les étoiles ce soir ».

Quelle que fût la réaction des parents, chaque Briqueteux sortit de chez lui à vingt heures et rejoignit ses copains sur la butte. Les trois patrouilles se mirent en route rapidement.

Dès la sortie de Bequerin, elles se quittèrent et se dirigèrent vers le Bois Tiercelin par trois directions différentes. Chacune d'elles connaissait bien son objectif : gagner l'emplacement qui lui avait été fixé dans le bois, observer les lieux, et maintenir le contact avec les autres au moyen de messagers.

EXPÉDITION NOCTURNE

La route était déserte. Le sol était enduit d'une neige collante qui freinait la marche. Le grand Biloute allait en tête ; un pull-over épais couvrait son torse et retombait sur un pantalon bis dont les poches étaient profondes. Biloute avait enfoui dans l'une d'elles le thermos de café et deux objets qu'il emportait toujours en patrouille : un canif à six lames et une pelote de cordelette. Le capitaine marchait fermement. Il n'avait qu'une pensée : réussir l'expédition. Et pour cela, une seule consigne importait. Biloute l'avait résumée en deux mots et bien calée dans son esprit : « Faire gaffe ! »

Derrière lui, il y avait d'abord Charlot Bidu, long, brun, mince, silencieux. Vincent-de-la-poterie le suivait. Celui-là faisait l'été à lui tout seul : la paille de ses cheveux crissait sous son bonnet de laine. Il habitait à proximité d'une poterie, dans une petite impasse qui n'avait pas de nom. C'est pourquoi on l'avait appelé « Vincent-de-la-poterie ».

Derrière Vincent venait l'orateur. Il portait son habituelle pèlerine bleue, dont la laine épaisse le protégeait des intempéries, et un béret rond. À quoi pensait-il ? Nul ne le savait. L'orateur ne pensait pas en mots de toute façon, l'orateur pensait en ondes. Ainsi, quand il y avait du danger, il ne disait pas : « Cette situation est dangereuse. » Il percevait d'abord la présence du péril. Mais ensuite les ondes s'immobilisaient en lui pour fournir leur « équivalent-mot ». Et ces mots étaient justes.

Derrière l'orateur marchait Jacques Duvillers. Petit, mais taillé en rugbyman, il était un Briqueteux efficace et sympathique. Enfin, Popaul Zoonekynd fermait la marche et serrait, dans un ceinturon à quatre crans, sa belle humeur et son corps de chat-tigre.

À vingt heures, la patrouille de Biloute atteignit le Bois Tiercelin. Elle y pénétra en se faufilant entre deux taillis. Le vent n'y

29

soufflait pas, car l'épaisseur des branchages l'empêchait d'y pénétrer, mais la blanche haleine de l'hiver était partout. Les bêtes se terraient à cause du froid. La neige et la nuit étaient les souveraines des lieux. Elles les arrangeaient à leur guise, et mettaient en place leurs métamorphoses. Certains arbres, couverts de glace et éclairés par la lune, ressemblaient à des géants étincelants. Ailleurs, d'épais fourrés étaient noirs et sinistres comme des fours de l'enfer. Familiers de la nature, les Briqueteux n'avaient pas peur de ce décor ; ils le connaissaient et le respectaient.

Le sentier déboucha dans une clairière. La neige y était claire et douce. On aurait dit un miroir blanc dans la masse du bois. Le grand Biloute donna ses ordres à voix basse :

– Faisez vite à passer ; on est à découvert.

Ils se retrouvèrent quelques mètres plus loin, devant un bosquet de sureaux.

Biloute y fit entrer sa patrouille.

– Vous pouvez vous assire. On repart dans trois minutes.

Ils s'accroupirent à la façon des trappeurs. Le grand Biloute déboucha son thermos, et l'arôme du café se mêla à l'odeur forte des branchages. C'était rude et bon à la fois. De plus, l'aventure acceptait de se montrer à eux à visage découvert. Ce soir, on ne jouait pas ; on agissait « pour du vrai ».

Il y eut un léger craquement de branches, et Kléber Munche parut. C'était le messager du gros Joé. On lui offrit un quart de café tandis que le grand Biloute lisait le message que lui adressait son ami :

Rien à signaler.
À tout à l'heure...

Joé
P.S. Mis à part qu'on est bien engelés !

– Hon, fit Biloute.

Et soudain, à l'ouest, sur la noirceur du ciel, une fusée mauve jaillit. Sa trajectoire s'accompagna d'un sifflement sec, puis la fusée s'ébouriffa en étincelles, dessinant un grand dahlia violet près de la lune :

– À cul ! siffla Charlot Bidu.

Et chacun partagea sa surprise.

Le grand Biloute cependant commençait à réfléchir et cherchait des causes possibles à cet événement : les Dochinois posséderaient des fusées ? Peu probable. Et ils seraient en mesure de les faire fonctionner ? Encore plus improbable. Alors, qui ? Fallotin ? Il en serait capable, mais ne le ferait pas. Car Fallotin n'irait pas allumer une fusée toute faite ; il en fabriquerait une lui-même. Ce serait à la fois dangereux et superbe. Or, la fusée qui venait de jaillir dans le ciel, pour inattendue qu'elle fût, était classique. Alors qui ?... Le grand Biloute n'eut pas le temps de construire une autre hypothèse. Un appel de Popaul l'alerta :

— Les eu'vlà ! Sur la droite.

Les réflexes de la patrouille jouèrent immédiatement. Les Briqueteux se plaquèrent au sol. Immobiles et muets, ils étaient invisibles. Mais leurs regards vigilants cernaient la clairière.

La bouche au sol, Popaul Zoonekynd confirma son premier message :

— Les eu'vlà, nom de Dieu ! Faisez bien attention !

Des silhouettes apparurent alors dans la clairière. Le grand Biloute ne les quittait pas des yeux. Les inconnus semblaient chercher quelque chose autour d'eux. On les voyait, matelassés de vêtements et de brume, comme les membres d'une expédi-

32

tion polaire. Ils passèrent tout près du bosquet de sureaux et Biloute les identifia sur-le-champ :

– Des scouts.

Le capitaine avança légèrement la tête pour vérifier son pronostic. Il répéta : « Des scouts », et se laissa tomber sur le dos, à la fois surpris et déçu. Popaul Zoonekynd n'eut pas le temps de ramper jusqu'à lui pour commenter cet incident. Les inconnus s'éloignaient en direction de l'est. Les Briqueteux se relevèrent.

– Bon, dit Biloute. Eh ben, c'est des boys-scouts. Ils cherchent des messages. Et c'est un mec à eux qui les a cachés tout à l'heure...

Il ne put en dire davantage. Un miaulement lui coupa la parole, et sous les yeux de la patrouille abasourdie, une seconde fusée monta dans l'obscurité. Elle était violette comme la précédente. Elle décrivit une trajectoire nerveuse, puis éclata en étincelles. Un fragment lumineux dégringola aux pieds de Biloute sidéré. Une forme noire jaillit alors du bois, traversa la clairière en un éclair et s'engouffra dans le sentier. C'était une forme humaine mais comme projetée par une catapulte. Sur-

tout, elle allait tout droit vers les Briqueteux.

Le râle de Jacques glaça le sang de ses
amis :

— Fantomas !

Charlot Bidu étouffa un cri d'émotion, et
Vincent-de-la-poterie pâlit.

La forme noire s'immobilisa brusquement à deux pas. Elle hésita un instant,
comme si elle cherchait la direction à
prendre. Puis elle sauta par-dessus un buisson, retomba dans le sous-bois, et courut
vers le sud, faisant voler les cailloux sur son
passage.

Alors, le cri de Biloute retentit :

— En avant !

Pour le regard hésitant de Charlot, et
pour la sueur qui commençait à apparaître
sur le front de Vincent, le grand Biloute
répéta : « En avant ! » et fracassa un buisson
de houx en s'élançant. Popaul Zoonekynd,
derrière lui, secoua la patrouille :

— Allez ! À cul quoi, nom de Dieu ! On a
dit : En avant ! Faisez vite à comprendre.

Kléber Munche, le messager de Joé, prit
rapidement congé. Il rendit le thermos et
s'embrouilla dans une excuse :

— Bon, ben, allez... À tantôt hein, les
gars... Je vais prévenir Joé.

Le grondement furieux de Jacques lui répondit :

– Oh ! ben alors, tisote *, t'es pas gêné. Après que t'as bien siroté, tu nous plaques !...

Kléber n'entendit pas la fin de la phrase. Derrière Biloute, les Briqueteux dévalaient la pente à en perdre haleine.

* « Toi », en patois du Nord.

UNE OMBRE DANS LA NUIT

Une course folle emportait les Briqueteux, tandis que les paysages changeaient
rapidement autour d'eux. Ils étaient sortis
du bois et avaient déboulé sur la route de
Thun, galopant sur l'asphalte glacé. Ils
avaient obliqué ensuite dans un sentier,
sauté par-dessus un fossé, rebondi dans un
pré, et s'étaient engouffrés enfin dans un
chemin qui les ramenait à présent au bois.

La forme noire était leur cible et ne ces-
sait de les étonner. Ainsi, face à une décli-
vité brutale, elle n'avait pas hésité un instant et s'était élancée. Le grand zigzag
qu'elle avait tracé sur la pente verglacée
était une signature superbe. Elle révélait
l'équilibre et la hardiesse. Ébloui par la
prouesse, Charlot avait fermé les yeux
avant de se lancer à son tour. Un peu plus
tard, face à l'étang gelé, devant cette laque
immaculée et perfide, la silhouette n'avait
pas reculé. Elle s'était engagée en patineur,
avec ce qu'il fallait de légèreté et de

vigueur pour réussir. En trois glissades, elle était de l'autre côté. Les Briqueteux avaient suivi comme ils pouvaient, l'un trébuchant, l'autre tombant, l'autre encore cahotant... Mais toujours, le cri de leur capitaine les relançait :

— En avant !

— Pourquoi ? demanda à un moment Vincent, épuisé, en se portant à la hauteur de Biloute. Pourquoi, puisqu'on sait pas qui c'est ?

Le capitaine n'avait pas répondu. Sous l'effet de la course, son visage prenait un ton de brique. Biloute sentait que l'aventure leur envoyait là un messager, que c'était à prendre ou à laisser, que plus jamais sans doute les Briqueteux ne recevraient pareil cadeau. Et puis, cette ombre qu'ils poursuivaient était si merveilleuse ! Elle faisait ce qu'elle voulait de son corps : elle courait, sautait, virevoltait, tout en s'entourant de son mystère. On devinait en elle des ressources superbes. Cela se sentait à la façon dont elle disposait des éléments naturels : le bois, la terre, la neige, les cailloux. Ces derniers semblaient lui obéir, ou plutôt lui faire confiance. On aurait dit qu'ils étaient ses complices.

Dans la tête de l'Orateur, du reste, une onde-pensée venait de fournir son équi-valent-mot : « Oui. » Cela signifiait : le grand Biloute a raison, ça vaut le coup.

Bien que de petite taille, l'Orateur savait forcer l'allure quand il le fallait. Il adoptait alors un trot rapide qui faisait penser au poulain. Il se porta à la hauteur du grand Biloute et traduisit son « oui » de la façon qui lui semblait la plus appropriée :

– À cul !

Le grand Biloute sentit soudain que l'aventure les guettait. Il était sûr, à présent, que la forme noire valait la peine, sûr qu'elle leur ferait vivre un moment mémorable.

– En avant ! reprit-il.

Et ce cri souleva les Briqueteux dans un suprême effort. Ils atteignirent la limite du bois, là où les arbres font place à une car-rière. Ils n'étaient qu'à quelques mètres de celle-ci, ne la distinguaient pas encore, mais sentaient bien la proximité de son gouffre blanc. La course les mettait hors d'haleine, et ils commençaient à entendre leur cœur cogner dans leur poitrine. Ce bruit se répercutait dans leur tête, si bien que chaque Briqueteux avait l'impression d'avoir de grosses cymbales sous son crâne. Pourquoi battaient-elles ? Était-ce pour annoncer une victoire ou, au contraire, pour avertir de l'arrivée d'un danger, exactement comme la musique se fait forte au cirque pour introduire un numéro périlleux ? Les Briqueteux ne pouvaient répondre à cette question. À vrai dire, ils ne savaient plus où ils en étaient. Ils savaient seulement qu'ils étaient heureux. Jacques Duvillers venait d'exprimer cela entre deux souffles. Il avait dit à Popaul :

– Qu'est-ce qu'on a comme goût !

Et Paul Zoonekynd avait cligné des yeux pour l'approuver.

Soudain, la forme noire stoppa sa course. Elle le fit de façon subite, se révélant capable de maîtriser sur l'instant ces forces déchaînées qui la portaient depuis le début.

D'un rapide coup d'œil, le grand Biloute analysa la situation. Derrière la silhouette, il y avait la chute escarpée de la carrière, et latéralement, on distinguait deux colonnes grises qui s'avançaient. C'étaient les patrouilles du Roi-des-Énigmes et de Joé que Kléber Munche était allé alerter.

L'inconnu était tourné vers la carrière. Il était monté sur un bloc crayeux à un pas de l'à-pic. Une longue cape formait un trapèze de ses épaules à ses pieds. Rapidement, il se retourna. Sa haute taille et les reflets d'argent que prenait dans la nuit son épaisse chevelure, lui donnaient une allure d'archange.

Il regarda s'approcher les patrouilles de Joé et du Roi-des-Énigmes. Il les toléra jusqu'à quelques pas de lui. Puis, brusquement, il s'élança dans l'à-pic redoutable de la carrière. Il ne sauta pas, ne descendit pas. Il y alla...

Les Briqueteux, pétrifiés, n'avaient pas bougé. Ils allaient se consulter pour décider de ce qu'il fallait faire ; mais la stupeur les rendit muets, car le grand Biloute s'était élancé à son tour. À sa place, à la place de la silhouette, il n'y avait plus que le sol et la nuit. On entendait rouler les pierres, mais on ne voyait absolument pas les deux corps.

Juché comme un chamois au ras du surplomb, Popaul Zoonekynd scrutait la nuit. Il en fallait beaucoup pour impressionner Paul Zoonekynd, mais cette fois il se sentait dépassé. Il restait immobile. La même pensée se répétait dans son esprit, mais il était trop tard pour la formuler :

– Fais pas le con, grand ! Fais pas le con !

Le Roi-des-Énigmes se ressaisit le premier et donna ses ordres. Deux sentiers descendaient en lacets jusqu'au fond de la carrière. Les Briqueteux s'y engagèrent sans dire un mot. Chacun était conscient que, cette fois, l'aventure était allée très loin. Le gros Joé frissonnait sous son blouson. Il essayait de se rassurer par des jurons : « Milliards pos d'suc *, va ! Malheu de malheu ! » Puis il pressa le pas, et les cailloux roulèrent sous ses chaussures.

Ce fut le Roi-des-Énigmes qui arriva le premier en bas de la carrière. Les Briqueteux ne tardèrent pas à l'entourer. Le cœur battant, mais silencieux, ils regardaient...

L'inconnu était couché sur le dos. Le grand Biloute était penché sur lui. Il ne le touchait pas ; mais de son buste incliné, il marquait que l'autre était son captif. Dans son regard se lisait une extrême attention, dont les reflets tombaient en pans sombres sur son visage. Mais en même temps, la lumière de la plus vive admiration brillait dans ses yeux.

Alors, la forme noire se dressa à demi. Un rayon de lune l'éclaira et les Briqueteux

* Juron du Nord. Les pois de sucre sont une variété de haricots verts.

découvrirent leur prisonnier. C'était un homme d'une trentaine d'années. Il souriait ; il ne semblait pas marqué par son effort. Il se redressa un peu plus, et son manteau noir s'entrouvrit. Un peu de blanc apparut alors autour de son cou. Les Briqueteux n'eurent pas le temps de s'interroger sur ce détail, car l'homme prononçait ses premiers mots :

– Je suis prêtre.

Vincent-de-la-poterie écarquilla les yeux de surprise. Le Roi-des-Énigmes tressaillit, et le gros Joé croisa les bras pour se donner une contenance. Quant à Biloute, non baptisé, il en tombait moralement sur le dos. Il gisait là, le cœur plein de fête, et cependant sans force, incapable de prendre la mesure de l'événement :

– Malheu de malheu ! Ah ! Malheu de malheu ! répétait seulement le garçon. Un prêtre ! Bon Dieu de bon Dieu, quelle histoire !

LE DÉFI

Ils rentrèrent chez eux tandis que minuit sonnait. Ils se faufilèrent dans leur maison en prenant garde de ne pas réveiller leurs parents. Chaque Briqueteux à cet instant ressemblait à un funambule : il avait le geste adroit et le cœur près des étoiles.

Leur aventure ne les empêcha pas de trouver le sommeil et ils s'endormirent aussitôt. Cependant, leurs rêves furent merveilleusement décorés : il y avait les étoiles, la neige, le miroir blanc de l'étang aux Hiboux, les lanières noires des branchages, les cailloux gris de la falaise, l'arôme du café de Biloute... Et par-dessus ce méli-mélo enchanté, une silhouette noire aux yeux bleus s'imposait : « Je suis prêtre. »

Il avait précisé son identité avant de les quitter. Il était vicaire dans une banlieue de Lille. Il avait indiqué la raison de sa présence dans le bois. Elle était conforme à ce qu'avait supposé le grand Biloute : il faisait un jeu de nuit avec les scouts dont il était l'aumônier. Il lançait des fusées ; les jeunes devaient le retrouver et l'attraper ; mais les Briqueteux s'étaient interposés et avaient changé les règles du jeu.

Le lendemain, les Briqueteux se retrouvèrent sur la butte. Ils furent d'accord pour penser qu'on ne pouvait en rester là après une telle équipée. Une amitié se cultive, comme on prend soin d'un plant pour qu'il devienne un arbre. Mais leur nouvel ami habitait à quinze kilomètres de Bequerin, et les transports en commun étaient loin d'être développés à cette époque. Il fallait faire quatre kilomètres à pied, puis prendre trois tramways, pour se rendre dans la paroisse où le jeune prêtre habitait. Dès lors, un unique moyen de communication s'imposait, à tout le moins dans un premier temps : la lettre.

Or, les Briqueteux étaient aussi étrangers à la correspondance qu'un plombier peut l'être au tricot. Les lettres, c'était l'affaire des parents, et quelquefois un sujet de rédaction donné par Aristide. Rien qui les concernât vraiment. Cette fois, pourtant, ils ne pouvaient y échapper. Du reste, le grand Biloute avait déjà rapporté du papier et un stylo.

Ce fut l'en-tête de la lettre qui leur posa le plus de problème. À leur inexpérience, en effet, s'ajoutait une difficulté : il fallait écrire à un prêtre. Ils sentaient que « Monsieur » ne convenait pas ; mais ils ne pouvaient davantage se résoudre à « Monsieur l'abbé ».

Alors, le grand Biloute décapuchonna son stylo et écrivit d'un jet sur le papier :
« Cher l'Abbé. »

Les autres approuvèrent ce surnom sur-le-champ et l'adoptèrent. La suite de la lettre se fit plus rapidement. Les Briqueteux savaient ce qu'ils voulaient dire : ils désiraient d'abord ratifier le pacte de la nuit précédente, c'est-à-dire exprimer au « Cher l'Abbé » qu'il était bien leur ami. « Croix de bois, croix de fer ! S'ils mentent, qu'ils aillent en enfer ! »

Les Briqueteux voulaient ensuite souligner qu'il n'y avait pas de mésalliance. Ils entendaient par là que le prêtre n'était pas perdant dans l'affaire. Car s'il avait une grande valeur, les Briqueteux avaient aussi la leur. Ils essayèrent d'exprimer ce point de vue dans leur lettre, ce qui donna ceci :

Cher l'Abbé,

On est vos copains pour la vie. On vous laissera jamais tomber. Vous non plus.

N'oubliez pas qu'on est plus forts que vos scouts. Ça se compare pas.

Quand est-ce que vous venez nous voir ? Fallotin a trouvé dans le bois une peau de hérisson vide (le dedans tout pourrisse, il était déjà parti). Fallotin a fait des signes sur elle. Il dit que le vent va souffler dedans et dire des choses. Peut-être même des choses de les morts.

Venez nous voir. Salut.

Les Briqueteux

Là-dessus, la neige se retira. On approchait de la fin février. Le printemps ne tarda pas à arriver. Il repeignit les haies de vert, sema des pétales multicolores dans les jardins et allongea les jours. Les Briqueteux aimaient cette saison et en profitaient car elle leur permettait de jouer plus longtemps, le soir, après l'école.

Ce fut sur l'herbe naissante de la butte,

dans la tiédeur d'une belle soirée, qu'ils reçurent la réponse du « Cher l'Abbé ». Fanette était au milieu d'eux cette fois. Elle écouta avec attention le grand Biloute, qui lisait à voix haute la lettre reçue le matin :

Chers Briqueteux,

Votre lettre m'a fait bien plaisir. À cul ! Salut à toi, Biloute, et toi aussi Popaul, et tous les autres. Oui, on est copains pour la vie. Juré !

Pour mes scouts, il faut voir... Ce ne sont quand même pas des toquards ! Il faudrait leur donner leur revanche dans un autre jeu, ou dans un autre truc. Après, on pourrait juger. À vous de réfléchir.

Pour ce qui est des signes de Fallotin, on verra... Le vent parlera peut-être dans le hérisson ; ou peut-être pas. Ça dépendra de beaucoup de choses : la sincérité de Fallotin ce jour-là, et si le vent est bien disposé ou pas... Mais que ça marche, ou que ça ne marche pas, ça revient au même. Car la réponse arrivera un jour. Peut-être pas tout à fait comme Fallotin l'avait pensé. Mais elle viendra. C'est comme mes prières : elles ne sont pas toujours exaucées comme je le vou-

drais. Mais des fois, je me rends compte qu'elles sont exaucées autrement et que c'est mieux que ce que j'avais demandé. Le Bon Dieu sait ce qu'il fait, les mecs. À cul ! L'essentiel est d'être sincère.

Chers Briqueteux, je ne peux pas venir tout de suite, parce que c'est le Carême. J'ai du boulot.

Mais après on se verra. Je vous serre dans mes bras.

Le Cher l'Abbé

Le silence qui suivit fut chargé de réflexion. Les Briqueteux n'étaient guère préoccupés par la foi du « Cher l'Abbé ». Elle ne leur posait pas de problème. La comparaison qu'il faisait entre ses prières et les signes de Fallotin ne les dérangeait pas. Ils pensaient simplement : « C'est lui qui le dit », ou « C'est son affaire ». Par contre, le deuxième paragraphe de la lettre était très présent dans leurs têtes.

« Ce ne sont quand même pas des toquards... Il faudrait leur donner leur revanche... »

– Zut ! dit Dédé Béhague.

Sa petite tête frisée et ses yeux couleur de bière exprimaient ce que ressentaient ses camarades : de la surprise et une certaine colère. Le « Cher l'Abbé » contestait leur victoire !... Biloute se taisait. Quelque chose en lui devenait très douloureux. Lorsqu'il parla enfin, ses lèvres semblaient de pierre :

– Y a qu'à lui répondre qu'on attaquera ses scouts quand il voudra. Et ce jour-là, il faudra bien qu'il voie la vérité.

– Ils vont dérouiller, observa Popaul Zoonekynd.

Le commentaire du gros Joé fut bref :

– Tant pire pour eusses.

Un silence passa, puis Dédé Béhague demanda :

– On les attaque... à quoi ?

Il posait la question du choix des armes. Diverses possibilités existaient en ce domaine : les frondes, les triques, les mains nues, ou encore les coups de boule. Chacun méditait sur la forme de combat qui serait la meilleure. Mais le Roi-des-Énigmes trancha :

– Ce qu'ils voudront. Ils choisiront eux-mêmes, et on acceptera. Comme ça, y aura pas de conteste quand on aura gagné.

Dans la tête de l'Orateur, une onde-pensée s'agita pour délivrer un message.

Quand le garçon l'eut captée c'était trop tard. Le terme « dangereux » était apparu dans l'esprit de l'Orateur, mais le grand Biloute avait déjà cacheté sa lettre. Et celle-ci disait :

Cher l'Abbé,

Vos scouts, ils ont qu'à choisir ce qu'ils veulent. On viendra et on les battra. À plat de couture. Voilà.
Maintenant, on attend des nouvelles.
Vos fidèles copains.

Les Briqueteux

Un coup de vent passa à ce moment sur la butte. C'était comme un « bonsoir » que leur disait le jour en s'en allant. Et si Fallotin avait été là, il aurait sûrement traduit ce message. L'herbe printanière, les premières violettes, et toute l'argile de la butte avaient lu la lettre par-dessus l'épaule de Biloute, et faisaient fermement ce commentaire : « À cul ! »

LE CHOIX DES ARMES

Le vendredi 14 avril, il y avait conseil sur la butte. Le ciel était gris, parcouru de longs nuages noirs. Le moral des Briqueteux lui ressemblait. Car la réponse de l'abbé n'avait pas tardé à venir. Comme le faisait remarquer Jacques Duvillers avec raison :

– Malgré que c'est le Carême, et qu'il a plein de machins d'église à s'occuper : les sermons, les confesses, les messes, et tout ça, eh ben... y a trouvé le temps !

Effectivement, le « Cher l'Abbé » avait trouvé le temps d'écrire, et de formuler on ne peut plus clairement ce message :

Chers Briqueteux,

Bien reçu votre lettre. C'est gentil à vous de nous laisser choisir la forme de la rencontre. Donc, ce sera le foot. Un match de deux mi-temps de 40 minutes, comme c'est le cas pour les équipes de minimes.

Un gars que je connais, qui n'est ni scout

ni Briqueteux, sera l'arbitre. Vous pouvez avoir confiance en lui. Il sera réglo.

Je propose le jeudi 21 mai, à 15 heures, au stade de ma paroisse.

Haut les cœurs !

Le Cher l'Abbé

Le silence sur la butte était aussi épais que les nuages. Le Roi-des-Énigmes semblait fait de granit. Il était totalement absorbé par le problème qui se posait à lui et qu'il ne savait résoudre : comment se préparer à un match de foot ? Pour la première fois de sa vie, le Roi-des-Énigmes ne parvenait pas à trouver sur-le-champ la clef d'une difficulté.

Autour de lui, les autres Briqueteux éprouvaient le même désarroi, mais leurs visages étaient plus expressifs. C'est ainsi que les lèvres du gros Joé bougeaient par moments pour grogner, que le nez de Vincent se plissait, et qu'un tic agitait le visage de Popaul, ce qui était toujours chez lui un signe de préoccupation.

Car les Briqueteux n'étaient pas spécialement connaisseurs en foot. Oh ! certes, ils y jouaient ; mais sans façon, avec ce qui leur tombait sous la main. On délimitait les buts au moyen de pierres ou de mouchoirs posés sur l'herbe, et le ballon était ce qu'on trouvait : une balle, une motte de terre entourée d'un chiffon, un caillou rond... n'importe quoi ! Et puis, on y allait !... S'ils ne regardaient ni à « se crever le cul », ni à « prendre des beugnes » pour conquérir le ballon, les Briqueteux ignoraient à peu près tout des règles du football. Les notions de « hors-jeu » et « d'obstruction » leur étaient particulièrement étrangères.

Le grand Biloute le savait bien ; c'est pourquoi il était nerveux. À une suggestion de Vincent-de-la-poterie : « Lis-nous encore une fois la lettre », il répondit par un refus irrité :

– Lis ! Lis !... Après que j'aurai « lis » dix fois, ça changera rien. La lettre, elle est très claire ; y a pas à se tromper : faut qu'on va faire un match contre eux le 21. Un match de vrai football, avec des buts en bois, des maillots, un arbitre, et des autres machins aussi probablement... On n'en sait rien, parce qu'on connaît pas le vrai foot, et que si on a l'air de demander quoiqu'est-ce, on va se faire passer pour des beaux mano-queux * !

* Des ignorants, des garçons peu dégourdis.

57

L'Orateur transpirait. Tout était vide et confus dans son esprit. Bizarrement, un mot flottait dans sa tête et repoussait toutes les ondes-pensées qui commençaient à s'y former. Ce mot était : « Bérézina ». Sur l'instant, l'Orateur ne parvenait pas à trouver l'origine de ce mot, c'est-à-dire le moment où il était entré dans sa mémoire. De vagues souvenirs se formaient dans son esprit. Ils montraient Aristide, debout sur son estrade, employant ce nom pendant la leçon d'histoire dans un grand discours solennel ; ou bien encore, le père de l'Orateur, un jour de déménagement familial, criant : « C'est la Bérézina ! » Mais ces souvenirs manquaient de force. À peine se formaient-ils qu'ils se défaisaient. En tout cas, le mot ne lui disait rien de bon. Sous sa pèlerine bleue, le garçon se contractait. Il se tenait un discours angoissé :

– À cul !... On serait donc dans le pétrin pour de bon ?... Ah ! ben, mince alors ! Malheu de malheu !... Comment qu'on va faire maintenant pour s'en sortir ?

Et soudain, Alain-la-foudre intervint. Il était assis tout en haut de la butte, un peu à l'écart du cercle que formaient ses camarades. Il se leva, et en même temps il atterrit au milieu de ses amis.

– Bon Dieu de scouts, va ! C'est tout de leur faute ce qui est arrivé ! D'abord, et d'une, ils avaient qu'à attraper l'abbé dans le bois. C'était leur jeu, et c'était leur abbé ; ils auraient dû savoir y faire. Ensuite, et de deux, ils devaient pas faire de contestes. Quand on est capot *, on est capot ; y a pas à y revenir. Enfin, et de trois, il fallait pas choisir le foot. Car si vraiment ils voulaient une revanche, il fallait tout refaire à la loyale : l'abbé serait reparti dans le bois et tout le monde aurait couru pour l'attraper... Et les ceux qui y seraient arrivé auraient gagné. Voilà !... Seulement, les scouts, ils se sont dit : « Si on fait ça, les Briqueteux vont gagner. » Et ça, ils le veulent surtout pas. Alors, ils disent : « Le foot », et c'est un beau piège qu'ils nous tendent. Car certainement, ils connaissent le football, et certainement ils s'y sont entraînés. Et maintenant qu'ils sont fin prêts, ils font leur proposition au « Cher l'Abbé ». Et lui, il n'y voit que du feu. Premièrement, parce qu'il connaît rien au football ; deuxièmement,

* Emprunt au vocabulaire des jeux de carte : « être capot », « être complètement battu ».

parce qu'il a ses machins d'église à s'occuper. Il a pas le temps de réfléchir. Et c'est comme ça qu'on est roulé !

Alain-la-foudre interrompit son discours pour retirer le foulard rouge qui ne le quittait jamais, et qui lui servait d'écharpe, d'étendard, ou de chiffon, selon les circonstances. Puis il formula nettement ses conclusions :

– C'est des beaux hypocrites et c'est des dégonflés ! Parce que, si c'étaient des hommes, ils feraient la vraie revanche, comme ça s'est passé dans le bois. Mais là, ils ont les foies... Alors, ils prennent le foot... Et c'est un beau ramassis de culs à croûtes !

Les Briqueteux eurent un hochement de tête approbateur. Ils partageaient l'opinion de leur ami, mais cela ne changeait rien au problème. Et comme le faisait remarquer Charlot Bidu :

– N'empêche qu'on est dans de beaux draps !

Le silence sur la butte redevint pesant. Mais il ne dura pas car le Roi-des-Énigmes parla :

– On ne peut pas refuser le foot, dit-il, car on a dit qu'ils pouvaient choisir. Si on disait non maintenant, on aurait l'air de dégonflés. Pas question. Il reste une seule chose à faire, et il faut la faire vite : se préparer.

Les yeux de Vincent-de-la-poterie exprimaient l'effarement le plus total. Il essayait de s'imaginer sur la pelouse d'un stade, muni de chaussures à crampons et galopant auprès de vrais footballeurs. Cela lui semblait aussi absurde et impossible que de remonter dans le temps et de devenir un cow-boy de dinosaures. Mais le gros Joé se leva, et chacun se fit attentif. Dans les situations difficiles, le gros Joé avait l'art des formules exactes. Curieusement, elles employaient deux fois le même verbe, et tiraient de cette particularité justesse et vigueur. Chacun se souvenait ainsi de la mémorable composition de calcul où un jeune instituteur, remplaçant Aristide malade, avait donné des fractions à réduire au même dénominateur. Les élèves étaient effrayés, car Aristide n'avait jamais traité ce point d'arithmétique. Tous les regards s'étaient alors tournés vers le gros Joé, le meilleur en calcul de la classe. Et Joé avait fait circuler la consigne suivante :

– Faites comme vous faisez quand vous savez pas le faire.

Les Briqueteux ne s'y étaient pas trompés. Cela signifiait : « Faites n'importe quoi. Sabotez. » Ainsi fut fait. Et devant la moyenne de l'épreuve, le jeune enseignant décida sagement d'annuler la composition et d'en refaire une autre.

Tout le monde était donc attentif à ce que Joé allait dire. Il lissa vigoureusement ses cheveux bruns et secoua un peu de terre collée à ses chaussures. Puis il durcit son regard, le porta sur l'horizon et déclara :

– Faut qu'on connaît quelqu'un qui connaît bien le foot.

Les Briqueteux se regardèrent. Chacun faisait rapidement l'inventaire de ses relations.

– Jean Durot ? suggéra Kléber Munche.

Ses camarades refusèrent tout de suite cette proposition. Jean Durot était l'entraîneur du Sporting Club bequerinois ; or celui-ci se traînait à la queue du championnat de sa division depuis le début de l'année. Si l'entraîneur n'était pas totalement responsable de cette situation, il n'y était pas non plus étranger. Il avait notamment la réputation de manquer de finesse.

Alors, Fanette intervint. Elle expliqua qu'elle avait une cousine mariée à un footballeur professionnel. Celui-ci était célèbre.

À peu de chose près, c'était le Platini de l'époque. Il jouait dans l'équipe de Lille, qui ne s'appelait pas encore le L.O.S.C., mais l'O.L. * C'était alors une équipe renommée, qui s'illustrait brillamment en championnat, et plus encore en Coupe de France où elle accumulait les victoires. Fanette allait écrire à sa cousine, puis essayer de rencontrer le célèbre joueur de l'O.L.

– Et les maillots ? demanda le grand Biloute.

Le capitaine veillait jalousement sur sa victoire. Il n'accepterait pas que l'éclat en fût terni, si peu que ce fût. Il s'expliqua :

– Faut qu'on soit présentable pour aller là-bas... « Ils » vont sûrement porter des maillots de football. Faudrait pas qu'on ait l'air de cloches à côté d'eux.

Fanette réfléchit dix secondes et sauta gaiement sur ses pieds :

– Je vais en parler aux « Choutes», dit-elle.

Un rayon de soleil perça à ce moment les nuages. Le ciel restait sombre, mais ce pan de lumière en atténuait la sévérité. Le moral des Briqueteux était à son image. Et,

* Olympique lillois.

comme l'expliquèrent peu après les pâque-rettes de la butte aux étoiles du soir : « La situation n'était pas totalement désespérée. Car les Briqueteux + Fanette + le grand joueur de football pouvaient constituer une équipe formidable. Sans compter qu'il y avait aussi les Choutes ! »

DES SUPPORTERS DE CHOC

Les Choutes étaient des amies de Fanette. Elles appartenaient comme elle à la classe de troisième d'un lycée lillois. Blondes, brunes ou rousses, elles avaient la beauté de leur âge. Un peu de lait, un peu d'abricot, un peu d'aurore : et voilà le teint des Choutes.

Les Choutes connaissaient les Briqueteux par Fanette, et vice-versa. Les Briqueteux acceptaient les Choutes parce qu'elles étaient les camarades de Fanette, mais aussi parce qu'ils avaient de l'estime pour elles.

D'abord, les Choutes étaient de merveilleuses diseuses de « craques », au collège, dans la vie, partout. Selon les circonstances, leurs craques étaient drôles, ingénieuses, compliquées, et même... « culottées » ; mais ça marchait toujours. Et les Briqueteux avaient de l'admiration pour cela. Ensuite, les Choutes étaient gaies comme des notes de musique accrochées à

66

un arc-en-ciel. Les Briqueteux aimaient aussi cela. Enfin, les Choutes étaient des gagneuses. Les difficultés les stimulaient. C'étaient des guerrières dont on ne voyait pas les cuirasses, mais elles étaient drôlement efficaces dans les combats. Les Briqueteux appréciaient également cet aspect de leur personnalité.

Ce fut au cours des travaux pratiques de chimie que Fanette commença d'alerter ses amies. Le moment et le lieu s'y prêtaient. En effet, les Choutes étaient alors réparties en petits groupes qui s'éparpillaient dans un immense laboratoire. Le professeur se déplaçant d'un groupe à l'autre, il était facile de faire circuler des papiers. Par ailleurs, la salle n'avait rien de sympathique. Son carrelage verdâtre et son odeur de chlore ne plaisaient pas aux choutes. C'est pourquoi celles-ci appréciaient toujours une petite distraction. Elles firent donc bon accueil au message de Fanette.

À 14 heures 30, la jeune fille prit son stylo, arracha une page à son cahier de textes, et rédigea la note suivante :

J'ai besoin de vous pour les Briqueteux. Ils ont un défi au foot. Mais, de toute façon,

il faut qu'ils s'en sortent et qu'ils GAGNENT.
Rendez-vous chez Fafa tout à l'heure, à 16
heures. Mes Choutes... il sagit de construire
une VIC – TOIRE !

Elles se retrouvèrent chez Fafa à l'heure dite. Fafa était un de leurs camarades dont le père tenait un café en face du lycée. Le garçon s'appelait Fabien. « Aller chez Fafa » équivalait donc pour les Choutes à gagner un recoin du café qui leur était familier. C'était en quelque sorte leur quartier général.

Dégustant une limonade, chacune écouta Fanette exposer la situation. Quand ce fut terminé, Éliane Demestère, surnommée « Zèbre » à cause du pull-over rayé qui ne la quittait pas, prit immédiatement la parole :

– Faut faire l'inventaire des possibles, dit-elle.

Zèbre était écoutée avec respect car elle était « balèze » en math et dans toutes les matières scientifiques.

– Faut faire l'inventaire des possibles, redit-elle, imitant la voix de Cosinus, leur professeur de mathématiques. Cernons les problèmes : premièrement, il y a les joueurs. Il faut les sélectionner.

– Mais tous les Briqueteux veulent jouer, fit Fanette. Dans cette affaire, ils sont solidaires.

– Il faut sélectionner, insista Zèbre. Il faut choisir les Briqueteux les plus aptes au football. Et pour cela, il faut faire appel à un spécialiste.

Alors Fanette parla de sa cousine, mariée à un champion. Les Choutes trouvèrent cette idée excellente et pressèrent Fanette d'établir le contact.

Restaient trois obstacles majeurs selon Zèbre : les tenues des joueurs, l'arbitre et le public. Le premier point était particulièrement difficile. En ces années d'après-guerre, en effet, les tissus étaient rares et coûteux. Dans ces conditions, les mères des Briqueteux ne consentiraient sûrement pas à acheter des maillots de football à leurs garçons. Les Choutes étaient bien conscientes du problème, mais manquaient d'idées pour le résoudre. Il y eut donc un silence dans leurs rangs. Puis, Jeannine Willaume le rompit :

– Il y a peut-être une solution, dit-elle. Je connais un surplus de l'armée américaine. Il y a là-dedans des maillots blancs à manches courtes. En les recoupant, on

pourrait les mettre à la taille des Briqueteux.

Les Choutes ne connaissaient pas ces
vêtements. Elles ne savaient pas que la
France entière en porterait quelques
années plus tard, et qu'on les appellerait
des « tee-shirts ». Mais elles trouvèrent
l'idée de Jeannine excellente.

– Ça va coûter cher, dit Zèbre.

– Pas forcément... Je vais me débrouil-
ler, répondit Jeannine.

– Bon, dit Thérèse. Ma mère est coutu-
rière ; elle mettra les maillots à la taille de
chacun. Mais blanc... c'est fade comme
couleur. Les Briqueteux auront l'air bien
pâlots là-dedans.

Alors Antoinette Six intervint :

– Mon père travaille à la teinturerie
Delannoy. Je pourrais faire teindre les maillots.

– La couleur ? demanda Zèbre.

– Bleu, dit résolument Fanette.

– Dans les maillots de football, il n'y a
pas qu'une couleur, remarqua Antoinette.
Il y a des machins en plus : des écussons,
des lignes...

– Des chevrons, décida Thérèse Lakière.
On posera des chevrons. On fera teindre

trois maillots de plus dans une autre couleur, et ma mère taillera là-dedans des chevrons.

– La couleur ? s'enquit Zèbre à nouveau.

– Jaune ! répondirent spontanément les Choutes. Ça fait soleil, ça fait vainqueur !

Les maillots des Briqueteux seraient donc bleus à chevrons or. Les culottes, quant à elles, ne posaient pas de problème, la culotte courte étant un vêtement usuel à cette époque. Les Briqueteux revêtiraient une culotte bleu marine, s'ils en possédaient une. Dans le cas contraire, le père d'Antoinette interviendrait et ferait teindre en bleu une culotte d'un autre ton. Le problème des bas fut évoqué ensuite, et facilement résolu. On décida que chaque Choute donnerait à un Briqueteux l'une de ses paires de chaussettes blanches.

Bas blancs, culottes marine, maillots bleus à chevrons dorés, ainsi se présenterait l'équipe des Briqueteux, le jour venu. Restait le problème des chaussures. Il fallait, en effet, se procurer des chaussures à crampons. Fanette verrait cela avec le grand joueur.

On aborda alors le second point : l'arbitre. Jeannine eut un rire gai comme du champagne :

– Une mise en plis suffira !

Cette phrase signifiait, bien entendu, que Jeannine comptait sur le charme des Choutes pour amadouer l'arbitre, et même pour le séduire. Mais Zèbre se montra prudente sur ce point :

– Voire ! dit-elle. Ça dépendra de l'arbitre. On pourrait avoir des surprises !

Ce fut alors que Bellotte prit la parole. Bellotte s'appelait Valentine Martinage. Elle avait un visage rond, doux et nacré, qui faisait penser à la lune telle qu'on la dessine dans les contes pour enfants. Les Choutes l'avaient affectueusement surnommée « Bellotte», ce qui signifie : « la belle petite ».

Elle parla donc, en s'exprimant timidement comme à son habitude :

– Il faudrait peut-être, dit-elle, composer notre groupe en fonction des goûts possibles de cet arbitre.

Et comme les autres s'étonnaient, elle se dépêcha de préciser sa pensée, son teint prenant alors la couleur des pivoines :

– On prévoirait une Choute brune, une blonde, une rousse, une sportive, une romantique, une intellectuelle, et une...

Elle ne trouva pas le mot qu'il fallait et s'en tira par un son qui expliquait ce qu'elle voulait dire :

– Et une... lala ! acheva-t-elle précipitamment, son visage virant alors au cramoisi.

Zèbre partit d'un grand éclat de rire :

– Allez ! On va battre le rappel des copines et tâcher de former une véritable équipe de choc.

Jeannine Willaume sourit :

– Je vais vous ramener un V2 *, promit-elle.

Les Choutes s'ébrouèrent :

– Quoi ? Qu'est-ce que tu veux dire par là ?

· Mais l'intéressée ne voulut pas en dire davantage.

– Vous verrez, se contenta-t-elle de déclarer.

Restait le problème du public. Comme le faisait remarquer Antoinette, qui jouait dans une équipe de basket et avait l'habitude des compétitions sportives : la rencontre se disputerait sur la pelouse du stade paroissial de Custine, localité où l'abbé était vicaire. Les Briqueteux joueraient

* Missile.

donc sur le terrain adverse, ce qui est toujours un handicap.

— Bah, dit Zèbre, avec des copines bien
choisies et quelques garçons dégourdis, on
doit pouvoir animer un stade.

— Ça va chauffer ! promit Thérèse.

JEF

Les Briqueteux écoutèrent attentivement Fanette lorsqu'elle leur rapporta les propositions faites par les Choutes. Immédiatement, le gros Joé réagit :

– On jouera tous, dit-il, le menton dur.

– C'est impossible, répondit gentiment Fanette, puisqu'il ne faut que onze joueurs. Vous êtes trop nombreux...

– On se relaiera, dit sèchement Joé.

On était sur la butte. Le crépuscule était doux et bleuté. Fanette expliqua patiemment :

– Il faut constituer une équipe... Il faut choisir onze gars qui prennent l'habitude de jouer ensemble. Écoutez-moi : tout le monde n'est pas doué de la même façon pour un sport. Il y a ceux qui aiment nager, par exemple, et ceux qui préfèrent les patins. Pour le foot, c'est pareil. Il y a sûrement parmi vous des gars qui sont plus forts que d'autres pour le foot. On les repérera à l'entraînement et on les sélectionnera.

Le visage de Joé était comme de la pierre.

– La victoire est à ce prix, ajouta Fanette.

Ils restèrent silencieux un moment. Puis le Roi-des-Énigmes parla. Il avait pris sa décision :

– À cul, dit-il. On fera comme ça.

Là-dessus, le temps changea. Il faisait gris le jour où Fanette se rendit chez sa cousine. La pluie cinglait les vitres du tramway tandis qu'au-dehors la brume buvait tout : l'espace, les formes, la joie. Tout. Fallait-il y voir un signe du destin ? Fanette s'y refusa.

Elle arriva chez sa cousine, et le grand champion la reçut. Il était à trois jours d'un match de coupe important. Il avait donc peu de temps. Cependant, il écouta Fanette avec intérêt. Lorsqu'elle eut terminé, il déclara gentiment « que les Briqueteux n'étaient pas battus d'avance ». Mais, il ajouta « qu'il y aurait beaucoup à faire si les garçons voulaient gagner » !

Comme son emploi du temps ne lui permettait pas de s'occuper personnellement de cette affaire, il proposa quatre mesures : présenter Fanette à l'entraîneur des minimes de son club ; demander au président de l'O.L. d'autoriser cet entraîneur à s'occuper des Briqueteux ; être là le jour de la séance de sélection ; se procurer des chaussures à crampons à la pointure des garçons. Les contacts furent pris sur-le-champ.

Lorsque Fanette revint à Bequerin pour rendre compte de ses démarches, le temps était toujours gris. Il faisait froid, et le ciel avait la couleur de la fonte. Fanette rapporta aux Briqueteux les propositions du grand champion. Elle ajouta que l'entraînement commencerait le jeudi suivant sur le terrain des minimes de l'O.L. L'entraîneur y attendrait les Briqueteux à quinze heures.

– Ben, dit Vincent lorsqu'il fut pénétré de cette nouvelle, si faut qu'on va faire les cons devant ce mec, on va avoir l'air fin !

Le grand Biloute lui enlaça fraternellement les épaules.

– Allez mon gros pépère, va ! Faut qu'on y passe, y a rien à faire. Fais seulement ton possible pour pas avoir le cul lourd ce jour-là !

Restait le problème des déplacements des Briqueteux à Lille. Les garçons devraient faire quatre kilomètres à pied, puis prendre un tramway. Or, ce dernier, sans être très cher, n'était quand même pas gratuit. Chacun connaissait les limites du budget familial. Il était donc exclu qu'on demandât de l'argent aux parents. On décida alors de casser les tirelires. Les Choutes participèrent à ce sacrifice, et l'on mit en commun tout ce qu'on possédait.

Chacun vit disparaître toutes ses économies dans le grand sac de toile qui servait de bourse commune. Les visages étaient pâles quand les porte-monnaie se vidèrent, mais personne ne desserra les dents. Le soir cependant, Biloute et Jeannine eurent la même pensée : « Ils-le-paie-ront ! »

Et vint le jour du premier entraînement. Les Briqueteux allèrent au stade dans leur tenue habituelle : culotte courte, chandail, espadrilles. Ils pénétrèrent dans les vestiaires de l'O.L. L'entraîneur des minimes les y attendait. En le voyant, Alain-la-foudre sentit s'électriser sa tignasse rousse :

– Vingt dieux !

Le garçon flairait toujours l'autorité lorsqu'elle se trouvait quelque part. Il la repérait à distance ; son instinct ne le trompait jamais.

– Vingt dieux ! redit-il.

Il voyait juste. Toute la personne de Joseph Cipowski manifestait la volonté. Le regard, la mâchoire, les épaules semblaient pris dans la même matière compacte. Un homme de grès. Mais il avait aussi une agilité et une souplesse évidentes. C'était un homme de plein air, qui savait se servir de son corps.

Les Briqueteux s'étaient immobilisés à l'entrée des vestiaires, tendus et silencieux. L'entraîneur les invita à passer sur le terrain. Il s'appelait Joseph, mais on lui disait « Jef ». Et Jef avait un regard d'acier et une voix qui vous prenait aux tripes. Quand il disait, après avoir montré un mouvement : « Allez les p'tits gars, on y va ! » tous les Briqueteux ne pouvaient s'empêcher « d'y aller ». Oubliant leur crainte, leur méfiance, leur inexpérience du football, ils accomplissaient ce que Jef demandait. Ils couraient, sautaient, apprenaient à contrôler le ballon du pied, du corps et de la tête, exécutaient les consignes que l'homme en survêtement leur criait dans le vent.

79

Cette première séance fut rude. Les Briqueteux n'étaient pourtant pas des « culs lourds ». Habitués à courir les champs et les bois, leurs corps étaient endurants et lestes. Mais il leur fallait acquérir d'autres qualités pour devenir footballeurs. Il fallait notamment que leur corps s'habituât à cet objet qui ne leur était pas familier : un vrai ballon de football.

Après une pause de dix minutes, on reprit l'entraînement, en l'axant cette fois sur la condition physique. Les Briqueteux se courbaient, se redressaient, s'élançaient, s'arrêtaient, jaillissaient de nouveau. Et Jef travaillait avec eux, les aidant à aller au-delà de leur fatigue.

À la fin de l'entraînement, les garçons étaient assis sur le terrain, ruisselants, pensifs, fourbus, et cependant ravis. On essaya les chaussures à crampons et l'on se mit debout. Vincent-de-la-poterie considérait ses pieds et n'en revenait pas :

– Ben, dit-il à Kléber, si faut qu'on coure avec ça, on va bourler * !

Le gros Joé était inquiet lui aussi. Lentement, il formula son impression :

* En patois du Nord : on va tomber.

– On a l'air de bourrins, décida-t-il.

Mais Jef lançait à nouveau son cri magique :

– Allez, les p'tits gars ! On y va !

Et pour la dernière fois, dans l'air doré de cet après-midi d'avril, « ils y allèrent ».

LA SÉLECTION

Quinze jours passèrent. Dans la maison de Thérèse Lakière, la salle à manger commençait à être encombrée, car c'était dans cette pièce que la maman de Thérèse piquait à la machine. Le sol était jonché de chutes de tissu, bleues, jaunes, blanches. Et sur les chaises, les premiers maillots s'empilaient. Le père d'Antoinette avait rapporté de la teinturerie où il travaillait les tee-shirts fournis par Jeannine. Il avait choisi pour eux un bleu intense. Quant au jaune qui faisait les chevrons, il était conquérant comme l'été : un jaune de tournesol et de soleil de juillet. Le blanc était destiné à faire les numéros qui seraient fixés dans le dos des joueurs.

Pendant ce temps, les Choutes ne chômaient pas. Au cours d'une réunion tenue chez Fafa, elles avaient délimité les moments et les lieux où elles devraient agir pendant le match. Il semblait indispensable d'arriver très tôt au stade pour essayer d'entrer en contact avec l'arbitre et les deux juges de touche. En ce qui concerne l'arbitre, il fut convenu qu'on l'aborderait d'abord dans les vestiaires. Puis, au cours du match, on essaierait de l'influencer en criant au moyen d'un porte-voix, par exemple : « Penalty ! Penalty ! » ou « Hors-jeu ». Antoinette, dont le père était électricien, fut chargée de se procurer un porte-voix fonctionnant sur piles. Pour ce qui était des juges de touche, on décida de placer deux personnes auprès de chacun d'eux : une Choute et son conseiller technique. La Choute jugerait si son action devrait prendre une forme câline ou, au contraire, énergique. Le conseiller technique lui indiquerait, selon le cours du jeu, le genre de réclamation qu'elle devrait faire auprès du juge : demander un coup franc, signaler un hors-jeu, etc. Ce conseiller serait recruté parmi les camarades des Choutes qui faisaient du football.

Restait l'organisation des supporters des Briqueteux. Comment répartir leur effectif dans les tribunes ? On remplirait au maximum la tribune réservée à Bequerin avec des camarades des Choutes. Et l'on placerait dans la tribune adverse, au milieu des

supporters de Custine, le « carré magique »,
c'est-à-dire les Choutes elles-mêmes !

Déjà, Zèbre était allée assister à deux
matchs de l'O.L. Là, elle avait appris les slogans des supporters et commençait à
entraîner ses amies : « On va gagner ! On va
gagner !... » Et puis, il y avait les chansons
destinées à remplir les moments creux du
match et à soutenir le moral des supporters : « Qui est-ce qui est le plus fort ? Evi-
demment, c'est nous autres !... etc... »

Pendant ce temps, l'entraînement des
Briqueteux se poursuivait. L'apprentissage
des gestes techniques ne constituait pas la
difficulté la plus grande. Les Briqueteux
avaient suffisamment de vigueur et d'agilité
pour parvenir à maîtriser progressivement
le tacle, l'amorti, la tête plongeante, la
reprise de volée, et autres gestes du football. De même, leur frappe du ballon ne
manquait ni de puissance ni de précision.
Non. Ce qui était difficile, c'était d'accepter
les règles du football. Toute règle, par sa
nature même, les rebutait. Pour eux, la vie
avait ses propres lois et ils les respectaient

profondément, mais celles des hommes ne leur plaisaient guère. Peu se justifiaient à leurs yeux. Ils avaient donc du mal à admettre les lois du football.

Ainsi, Joé ne comprenait pas qu'un joueur n'ait pas le droit de se faire justice lui-même, s'il était victime d'un tacle irrégulier. Le coup franc destiné à sanctionner l'adversaire ne lui semblait pas assez dissuasif :

— Y a qu'à lui foutre une bonne beigne, disait-il, et il y reviendra plus.

Jef commençait à se faire du souci pour le match. Il montrait des cartons jaunes, des cartons rouges, et les Briqueteux baissaient les yeux, mais en grognant.

Quant au hors-jeu, il inspirait aux Briqueteux un raisonnement que Biloute exprimait fort bien :

— Si on reçoit un bon ballon d'un copain, et qu'on le contrôle, eh ben... y a pu qu'à foncer et à essayer de marquer le but, nom de Dieu !

C'était tout simple. Pourquoi n'avait-on pas le droit d'agir ainsi quand la défense adverse se trouvait derrière l'attaquant au moment du départ de la balle ? Les Briqueteux se faisaient souvent piéger au cours des matchs d'entraînement. Jef sifflait, et les Briqueteux héritaient d'un coup franc qui les mettait en fureur. Comme le disait Vincent :

– Ah ! ben alors, ici, c'est le monde à l'envers ! Au plus que tu vas vite, au plus que t'es berné !

Et le grand Biloute ne cachait pas son opinion sur le football :

– Un drôle de jeu, où les culs lourds i'font parfois le coup !

Heureusement, l'équipe possédait de bons atouts. Et quand vint le jour de la sélection, Jef put présenter un groupe dont il était assez fier.

D'abord les deux vedettes : Jean-Louis Finette et Alain-la-foudre. La sélection de Jean-Louis au poste de gardien de but s'imposait. Bonds aériens, plongeons acrobatiques, détentes latérales... il savait tout faire ! On décida qu'il porterait un maillot jaune, un short bleu, et des bas bleus à revers blancs.

Le deuxième atout de l'équipe était Alain-la-foudre. Il avait parfaitement assimilé les différentes techniques du dribble, et il les utilisait dans des improvisations personnelles époustouflantes. Par ailleurs, sa hargne naturelle le rendait intenable. La défense adverse aurait beaucoup de mal avec lui, d'autant que, malgré sa petite taille, il saurait riposter si l'on se montrait brutal envers lui.

Jef communiqua ensuite le reste de la sélection. En défense, il avait sélectionné Kléber Munche à droite, et Luciano Tarentini à gauche. Ces garçons avaient été choisis pour leur force et leur sang-froid. Kléber Munche avait la stature d'un paysan et un calme à toute épreuve. On pouvait lui faire confiance. Il n'y aurait ni panique, ni défaillance avec lui. Quant à Luciano, il était rapide et puissant. Ces arrières des Briqueteux promettaient donc d'être efficaces. Jef leur demanda de se cantonner dans un rôle défensif, et d'éviter de franchir la ligne médiane.

Entre les deux, le gros Joé était tout désigné pour être le stoppeur. Joé, c'était comme la tourelle d'un tank : on ne passe pas !

Devant cette défense musclée, il fallait un organisateur de jeu. Qui, mieux que le Roi-des-Énigmes pouvait tenir ce poste ? Il était parvenu à résoudre « l'énigme football ». Il avait parfaitement compris les règles de ce jeu, et la finesse qu'on pouvait donner à son organisation. À partir de là, il pouvait construire des combinaisons qui orienteraient son équipe vers la victoire.

L'entraîneur fit connaître ensuite le milieu de terrain. Il était composé de Popaul Zoonekynd, Charlot Bidu, Vincent-de-la-poterie et Jacques Duvillers. Leur rôle serait de récupérer le plus de ballons possible pour alimenter les avants.

Ceux-ci seraient deux joueurs complémentaires pour une attaque de choc : Alain-la-foudre et Biloute. Le feu follet et le sanglier. Quand le premier pénétrerait dans le camp adverse, la défense aurait le feu aux trousses. Et quand viendrait l'heure du second, l'équipe de Custine aurait du souci à se faire !

Restait à désigner le capitaine. Jef pensait au chef habituel des Briqueteux, c'est-à-dire au Roi-des-Énigmes. Mais celui-ci refusa, et ses camarades avec lui. Ils revirent tous le ciel noir d'une certaine nuit, et un grand type allongé qui disait : « Je suis prêtre », sous le regard dominateur de Biloute. Biloute serait leur capitaine !

LE JOUR DU MATCH

Le jour du match, le soleil levant était à la fois superbe et menaçant. Il déployait sur un bleu violacé de grands nuages noirs et orange, tandis qu'une mousseline de lumière éclairait l'ensemble par-dessous. Au plan des couleurs, c'était très beau. Au plan des présages... allez savoir ! Il y avait du clair, il y avait du sombre... On pouvait espérer, mais aussi s'inquiéter. C'était comme si le ciel ne voulait pas s'engager.

Les Briqueteux avaient passé une bonne nuit. Ils étaient sortis du sommeil comme un linge bien repassé. Sans un faux pli. Jef leur avait recommandé de se coucher tôt. Ils l'avaient écouté.

Chez les Choutes, en revanche, la situation avait été différente. Nerveuse, plus d'une Choute s'était levée dans la nuit. Ne pouvant dormir, chacune s'était occupée selon son tempérament : Bellotte en priant Notre-Dame des Victoires ; Thérèse Lakière en descendant à pas feutrés dans la salle à manger pour inspecter encore une fois les maillots ; Jeannine en téléphonant à son petit ami Jean-Paul. Cependant, elle ne lui parla pas d'amour mais de football, et le questionna, une fois de plus, sur les chances qu'avaient les Briqueteux de l'emporter.

Au début de l'après-midi, soit une heure avant le coup d'envoi, Choutes et Briqueteux arrivèrent à Custine. Les Briqueteux avaient refusé de rencontrer le « Cher l'Abbé » avant le match. Ils ne le reverraient qu'après la partie, en vainqueurs ; ou jamais.

Jef poussa le premier la porte des vestiaires. Les Briqueteux le suivirent. L'entraîneur regarda les garçons prendre place dans la salle, et, sur sa peau tannée, il sentit passer comme un frisson. Jamais il n'avait été aussi ému. C'est que les Briqueteux n'étaient pas comme les autres. Ils n'aimaient pas particulièrement le football. Ils ne joueraient donc pas pour l'amour de ce sport. Ils allaient se battre pour quelque chose de plus rare et de plus précieux : l'honneur et une belle amitié.

Ils se groupèrent autour de Jef pour d'ultimes recommandations. C'était, comme le disait Kléber, « le dernier coup à la messe », et les Choutes furent priées de sortir pour ce conseil final. Jef leur en donna la raison en un mot : « Concentration. » À partir de ce moment, en effet, et jusqu'à l'instant où ils pénétreraient sur le terrain, les Briqueteux ne devraient penser qu'au match.

Les Choutes se retirèrent d'autant plus volontiers qu'elles avaient des choses à faire. Elles gagnèrent les vestiaires de l'équipe de Custine et ne tardèrent pas à trouver la porte qu'elles cherchaient, celle où il était marqué : *arbitres*. Thérèse frappa ; on ne répondit pas. Les arbitres n'étaient pas encore arrivés.

Elles n'attendirent pas longtemps pourtant. Un jeune homme apparut au fond du couloir. Il s'avançait à grands pas, gai, rougeaud, trapu. Les Choutes n'échangèrent qu'un regard. Leur opinion était faite : ce garçon-là était sûrement sensible au charme féminin. Jeannine alla au-devant de lui, lui adressa un large sourire et engagea la conversation. Un moment plus tard, elle revint, ravie, et annonça à ses camarades :

– Il s'appelle Antoine, mais ses copains lui disent Tony. Il est juge de touche.

Les Choutes n'eurent guère le temps de la complimenter : un second garçon entrait dans le couloir. Il marchait à pas légers et précis. Elles le regardèrent venir, et s'assombrirent. Le nez droit, les cheveux impeccablement coiffés, les fines lunettes dorées, le menton anguleux, ne leur disaient rien qui vaille. « Un intello », dit Thérèse. Fanette approuva. Les Choutes laissèrent passer le garçon. La situation était très délicate. Il ne fallait pas manœuvrer imprudemment. « Il n'y a que Zèbre... », dit enfin Bellotte après un silence. Les autres l'approuvèrent, mais leurs visages soucieux montraient bien que le problème n'était pas tout à fait résolu. Elles sentaient qu'il manquerait quelque chose à Zèbre pour l'amadouer.

Comme pour les décourager plus encore, le garçon passa rapidement et pénétra dans le vestiaire des arbitres. Jeannine appela Tony par la fenêtre. Celui-ci sortit promptement, le torse nu et la serviette éponge à la main. La jeune fille eut une courte conversation avec lui, dont elle revint soucieuse. Le garçon s'appelait Corentin Ponthieu. Il était élève dans une école d'ingénieurs. C'était le second juge de touche.

Thérèse se gratta la tête.

– Va quand même chercher Zèbre, dit-elle à Antoinette. En attendant, je vais essayer de trouver une solution.

Elle n'en eut pas le temps. Une autre silhouette venait d'apparaître au bout du couloir. C'était sans doute l'arbitre du match. Les Choutes l'observèrent. De loin, elles distinguèrent des cheveux bruns, un long manteau noir qui tombait jusqu'aux pieds et un étroit foulard de couleur blanche. Il avança à grands pas dans le couloir, et les détails de sa personne se précisèrent. Stupéfaites, les Choutes le regardaient s'approcher. Car son costume révélait sa profession : c'était un séminariste.

Un séminariste ! Jamais, au grand jamais, dans toutes les hypothèses qu'elles avaient envisagées, les Choutes n'avaient prévu celle-là. Comment cette possibilité avait-elle pu leur échapper ? Elles ne le savaient pas ; et elles restaient pantoises. Jeannine eut une pensée agacée pour le « Cher l'Abbé » : « Il aurait pu choisir quelqu'un d'autre ! »

Bellotte, que ces événements bouleversaient, en perdit son beau langage habituel et approuva Jeannine en ces termes :

– À cul !

Cette remarque fit tressaillir Thérèse et la sortit de ses pensées. Elle regarda attentivement Bellotte, vit le doux visage nacré, les boucles sages, et la médaille de Thérèse de Lisieux suspendue au cou de son amie. Alors, l'inspiration l'illumina :

– Toi ! dit-elle, c'est toi qui t'occuperas de l'arbitre !

EN AVANT

Le carillon de la mairie de Custine retentit, indiquant qu'il était quatorze heures trente. On était maintenant très près du début du match.

Jef avait distribué les équipements, et les Briqueteux commençaient à s'habiller. Le silence dans les vestiaires était extrême. Vincent fut prêt le premier. Il se leva, se regarda, comme intimidé. Le premier Briqueteux-footballeur était là ! Antoinette, qui venait de rentrer dans les vestiaires pour prendre son porte-voix, en fut émue aux larmes :

– Qu't'es beau, mon Jésus ! Qu't'es beau, ma loutte ! dit-elle à Vincent en l'embrassant.

Quelques minutes s'écoulèrent encore, puis Jef fit un signe. Le grand Biloute plaça le ballon du match sous son bras, ouvrit la porte des vestiaires, et partit résolument vers le terrain, ses camarades à sa suite.

Leurs adversaires se trouvaient déjà sur

la pelouse. Ils portaient des maillots rouges, des culottes blanches, et des bas rouges à revers blancs. Ils s'échauffaient en échangeant des balles.

Quand les Briqueteux parurent, un grand silence s'établit. Chacun les regardait passer. Les supporters de Custine étaient surpris. L'équipe qui pénétrait sur le terrain leur faisait réellement impression. Sa tenue impeccable ne trompait pas ; c'était celle d'une équipe qui s'était préparée. Or, cela ne correspondait pas à l'idée qu'on s'était faite des Briqueteux dans la ville : des sauvages qui joueraient sûrement avec beaucoup de cran, mais ne résisteraient pas longtemps au savoir-faire d'une équipe expérimentée.

L'étonnement du public n'était rien cependant auprès de ce qu'éprouvait le « Cher l'Abbé ». Caché derrière le pilier d'une tribune, il n'en croyait pas ses yeux. Il attendait une équipe disparate, presque en haillons, et il découvrait une formation organisée et élégante.

À ce moment, une fille parut sur la pelouse. À son cou était suspendue une corbeille légère, semblable à celles dont disposent les vendeuses de bonbons dans les cinémas. Et dans la corbeille, il y avait une multitude de petites silhouettes en feutrine représentant un footballeur. Celui-ci avait un maillot bleu à chevrons d'or, un short bleu marine, des bas blancs, etc. Et la fille se mit à crier à pleine voix :

– Qui n'a pas son...

Et le stade entier lui répondit en hurlant :

– BRIQUETEUX !

Les supporters de Bequerin étaient bien là ! Alors la fille se mit à vendre ses figurines, aidée par une camarade qui disait au public avec un grand sourire : « Pour la paix ! » Et les gens achetaient. Et Thérèse et Jeannine allaient ainsi ensemble le long des tribunes. Jeannine aurait aussi bien pu dire : « Pour la guerre ! » les spectateurs n'y auraient pas pris garde tant son sourire était frais et chaleureux. Et ainsi, peu à peu, on vit apparaître dans le stade de petites taches bleues et jaunes : c'était la mascotte des Briqueteux que le public de Custine achetait sans y prendre garde. Le « Cher l'Abbé », stupéfait, considérait le spectacle. Il découvrait les Choutes.

Il n'était pas au bout de ses surprises cependant, car Ninon Thellier venait de faire son entrée. Sur l'instant, l'abbé n'y vit que du bleu, c'est-à-dire la petite robe pervenche que portait la jeune fille. Mais ça n'était là qu'apparence, et celle-ci était trompeuse. La réalité était tout autre. Ce n'était pas pour rien qu'on avait surnommé Ninon « la star ». Sa beauté tenait à ses grands yeux verts qu'ombrageaient de longs cils, à sa taille fine, mais surtout à l'épaisse chevelure auburn qui ondulait sur son dos. L'Orateur se dit qu'elle était certainement la dynamite souhaitée par Thérèse ou le V2 promis par Jeannine.

Elle arriva donc dans les tribunes, serra la main des Choutes, et se fit mettre au courant de la situation. Son œil balaya le terrain. Elle décida que Corentin serait une proie parfaite. Elle n'aimait rien autant que ces garçons froids qui étaient pour elle des défis.

À quelques minutes du coup d'envoi, le dispositif des Choutes était en place : sur l'aile droite du terrain, à deux pas de Tony, il y avait Jeannine. Sur la touche opposée, Zèbre et Ninon encadraient Corentin. Zèbre était très près du juge de touche ; elle avait déjà engagé la conversation avec lui en parlant de trigonométrie. Ninon se tenait légèrement en retrait. Non loin, dans la tribune des supporters custinais, le carré magique : Thérèse, Fanette et Antoinette, bientôt rejointes par Bellotte. Celle-ci avait fait son possible pour établir un contact avec l'arbitre. Elle n'avait d'ailleurs pas eu besoin d'un stratagème pour y parvenir. Il lui avait suffi d'être elle-même. Bouleversée par sa mission, en effet, Bellotte s'était mise à arpenter le couloir. Elle avait prié le Ciel pour qu'il l'aide à bien seconder les Briqueteux. Et quand les arbitres étaient sortis de leur local, ils avaient découvert cette jeune fille recueillie et tout émue. Tony lui avait tapé gentiment sur l'épaule : « Il faut y aller, vous savez ; le match va commencer. » L'arbitre lui avait adressé un sourire chaleureux. C'était tout, mais c'était suffisant. Le contact était favorablement engagé. Le reste serait question de circonstances, d'inspiration... et de porte-voix. L'engin fut sorti du sac d'Antoinette et placé entre les mains de Bellotte.

Les deux équipes s'alignèrent sur le terrain. On entendit alors retentir *La Marseillaise*.

Le public se leva. Thérèse grogna. Les joueurs au garde-à-vous se taisaient, quand soudain les yeux de Vincent s'agrandirent. Il regarda vers les tribunes, et on l'entendit distinctement s'exclamer :

– Fallotin, merde !... Eh, les gars, Fallotin y est là !

Il quitta son équipe et se précipita vers les gradins. Biloute le rattrapa de justesse.

De fait, « il » était là, et il fallait le voir ! Ses cheveux roux s'échappaient en flamm-mèches d'une repoussante casquette grise. Ses oreilles étaient plus rouges que jamais. Il avait l'air détaché et perçant que les Bri-queteux connaissaient bien. C'était là l'ex-pression de Fallotin-le-libre, Fallotin-le-sal-timbanque et le connaisseur des secrets. Une grande chemise à carreaux sortait de la salopette délavée qu'il portait. Et ses chaus-sures décousues étaient consolidées par des ficelles. Comment était-il venu là, lui qui n'avait jamais pris de transport en commun ? Lui qui ne savait pas où était Custine ? Lui qui haïssait les lieux publics et n'y mettait jamais les pieds, qu'il s'agisse d'école ou de stade ?

Comment ? Personne ne pouvait répondre à cette question. Mais Joé, qui le regardait intensément, savait pourquoi Fallotin était là. Il l'avait rencontré l'autre soir, dans le bois, et il lui avait dit seulement : « On va se faire poirer. » Fallotin avait hoché la tête et n'avait posé aucune question. Mais à présent, il était là.

Chaque Briqueteux eut au cœur une bouffée de chaleur. Le Roi-des-Énigmes pensait : « Salut l'artiste ! » et les autres Briqueteux se disaient : « Fallotin est là, merde ! Fallotin ! » Et c'était comme si le Bois Tiercelin, leur univers familier, s'était transporté sur ce stade. Fallotin en était le totem et il s'était planté dans les tribunes.

Du reste, Jean-Louis Finette pensait : « Si Fallotin est là, c'est sûrement parce qu'il va faire les grands signes. Et alors là, on verra ce qu'on verra ! »

Le « Cher l'Abbé », à qui rien n'échappait, considéra attentivement Fallotin. Son regard se reporta ensuite sur Ninon, puis sur l'immense banderole bleue et jaune qui venait de surgir soudain dans la tribune des Briqueteux et la couvrait de droite à gauche comme une gigantesque oriflamme : **ALLEZ LES BRIQUETEUX !**

L'arbitre siffla le coup d'envoi.

PREMIÈRE MI-TEMPS

Il y avait dix minutes que le match était commencé, et on ne pouvait pas dire qu'il tournait à l'avantage des Briqueteux. Ceux-ci ne manquaient ni d'ardeur, ni de technique. Mais ils étaient nerveux, et ne construisaient pas suffisamment leur jeu. Lorsqu'ils recevaient un ballon dégagé par Finette, ou lorsqu'ils le prenaient à l'adversaire, ils relançaient l'action trop vite et de manière imprécise. En conséquence, ils perdaient beaucoup de ballons, devaient se dépenser sans compter ensuite pour les récupérer et menaçaient de se fatiguer rapidement.

À l'inverse, les joueurs de Custine, plus expérimentés, pratiquaient un football collectif. Ils faisaient preuve de beaucoup de solidarité. On les voyait souvent à deux ou trois sur le porteur du ballon, et par deux fois, ils avaient inquiété Finette.

Dans le stade, l'ambiance était sympathique. On échangeait des : « Ho ! hisse ! »

d'une tribune à l'autre et, à tour de rôle, on criait des slogans pour encourager son équipe.

Contrairement au cours du jeu, ce furent les Briqueteux qui donnèrent au public sa première émotion. L'action fut rapide. Après un dégagement en touche de Luciano, Jean-Louis Finette passa le ballon à Charlot Bidu, qui centra sur Alain-la-foudre. Après une course éclair, celui-ci fut devant le but et tira. En deux secondes, il se forma une sorte de pieu sonore, qui monta puissamment dans le ciel et le troua : « Y EST ! »

Mais le juge de touche avait baissé son drapeau : une fois encore, les Briqueteux s'étaient laissé prendre au piège du hors-jeu. Le gardien custinais récupéra le ballon dans ses filets et dégagea. Alain-la-foudre ne put s'empêcher de revenir sur ses pas et de dire au gardien ce qu'il pensait :

– T'as un cul, mon mec !

Puis le match reprit, et l'on vit de nouveau se préciser la supériorité des Custinais. Ils faisaient circuler le ballon en petites passes précises, et les Briqueteux enrageaient de ne pouvoir l'intercepter. Cela dura quelques instants. Puis, tout changea brusquement. D'un centre précis, l'arrière droit de Custine fit parvenir la balle à son avant-centre. Celui-ci n'était pas hors-jeu, car Kléber et Luciano étaient l'un et l'autre derrière lui. Le jeune avant fila vers les buts des Briqueteux. Il était blond, grand, maigre, avec cette rudesse appliquée qu'on voit souvent chez les joueurs flamands. D'un dribble adroit, il sut esquiver Luciano, et, alors que Joé se disposait à l'attaquer, il passa la balle à un équipier démarqué. Celui-ci n'était qu'à dix mètres de Finette. Plus rien ne séparait le joueur et le gardien.

Les mâchoires de Jef se serrèrent. Finette blémit. Puis, tout alla très vite. Le joueur de Custine tira en force, tandis que retentissait dans le stade un cri inouï. Il était extrêmement aigu, avec un écho grave et puissant comme celui d'une panthère. C'était un cri d'alarme, et tout autant un cri de malédiction. Plus d'un spectateur porta spontanément ses mains à ses oreilles en l'entendant, et chacun sentit avec effroi ce son extraordinaire lui traverser le corps.

Sur le terrain, au même instant, il se produisit une chose incroyable : si près du but, et seul devant Finette, le joueur custinais rata son tir. Il plaça son ballon très au-dessus de la cage. Le garçon avait-il été troublé par le cri, ou était-il réellement maladroit ? On ne pouvait le dire. Toujours est-il qu'il venait de manquer le but. Il y eut un grand silence dans les tribunes. L'arbitre interrompit le jeu un court instant, et fit un geste en direction de la ligne de touche... Fallotin fut prié de regagner les tribunes !

Les Briqueteux haletants se regardèrent. Pour eux, le doute n'existait pas. Fallotin avait vu le danger et s'était précipité près du terrain. Là, il avait fait « le grand signe », qui avait pris la forme de ce cri... Et de la sorte, il avait troublé le joueur de Custine et sauvé le but. Le public déconcerté ne comprenait pas ce qui était arrivé. Un cri fou avait retenti, un but avait été manqué. Mais personne ne faisait de rapprochement entre les deux faits. Seul Jef semblait avoir compris les événements. Il se frottait pensivement le menton.

Le jeu reprit. Forts de leur supériorité, et sentant le but à leur portée, les joueurs de Custine accentuèrent leur pression. Jef était soucieux. Compte tenu du rythme que soutenaient ses joueurs, il se demandait dans quel état ils aborderaient la seconde mi-temps. Il craignait pour eux la fatigue, voire l'effondrement. Heureusement pour les Briqueteux, Jean-Louis Finette accomplissait une partie remarquable. Le petit gardien faisait l'admiration du public. Balles hautes, tirs rasants, centres canon : il arrêtait tout. Il alla même chercher témérairement, dans les pieds d'un avant, un ballon très dangereux. Et puis, il y avait Joé. Le stoppeur des Briqueteux s'activait puissamment au sein de sa défense. Il déblayait, relançait, renvoyait, se dépensait sans compter. Son exemple encourageait son équipe, et les maillots bleus devenaient foncés tant ils étaient mouillés par la sueur. Comme le disait Vincent à Kléber à l'occasion d'une remise en touche : « Ça kauffe * ! »

De fait, ça « kauffait » dur ! Désireux de marquer avant la pause, les Custinais se déchaînaient. Dans les dix-huit mètres de Finette, il y avait toute l'attaque custinaise et, face à elle, une défense des Briqueteux qui se démenait comme elle pouvait. Sur un corner tiré par l'arrière gauche de

* En patois du Nord : « Ça chauffe ! »

Custine, le but faillit être marqué. « Y est ! » clama le public. Mais le ballon frappa le petit filet. Il s'en était fallu de peu.

« Y est ! » cria de nouveau le public, l'instant d'après, sur un centre canonné par l'avant-centre de Custine. Les Choutes ne virent pas l'action, car elles avaient fermé les yeux. Mais elles se rendirent compte que l'arbitre ne sifflait pas, et que le but, par conséquent, n'avait pas été marqué : la jambe du gros Joé avait détourné le ballon in extremis ! Les Briqueteux revenaient de loin ! Épuisés, ils regardaient la pendule du stade et jouaient la montre.

Il restait trois minutes avant la mi-temps. Dans les tribunes, le tumulte dominait. Les supporters des Briqueteux s'époumonaient à chanter :

« Non, non, jamais, les Briqueteux ne failliront pas. »

« Non, non, jamais, les Briqueteux ne périront pas. »

Et dans la tribune d'en face, on scandait avec force :

« Un but ! Un but ! Un but ! Un but ! »

Ce fut à ce moment qu'un joueur custinais s'enfonça dans la défense des Briqueteux. Il avait choisi de passer sur l'aile droite, là où Vincent et Charlot donnaient des signes évidents de fatigue. Rapidement, il fut à vingt mètres du but et centra vers un partenaire démarqué. Ce n'était là qu'une attaque de plus, et les supporters de Custine l'encourageaient de leurs cris : « Un but ! Un but ! Un but ! » quand les événements se précipitèrent. Le joueur de Custine, qui venait de recevoir la balle, la contrôla, courut, tira... et marqua ! Finette au sol entendait bouger la terre. Une véritable colonne de sons montait du sol vers le ciel et y construisait un temple à la gloire de l'équipe custinaise : « Y est ! Y est ! »

Soulevés par la joie, les supporters de Custine ne se rendaient pas compte, pourtant, de ce qui se passait sur le terrain. À l'instant où le joueur custinais avait reçu la balle, Jef avait dit : « Hors-jeu » ; puis il avait ajouté aussitôt « discutable ». Mais Ninon avait entendu, et, au moment où la balle rentrait dans les filets, la jeune fille, très près de Corentin, avait déclaré : « Hors-jeu. » Elle l'avait dit avec suffisamment de sérieux pour impressionner le juge de touche, mais aussi de cette voix chaude qui n'était qu'à elle et qui troublait tellement ceux qui l'écoutaient. Corentin avait saisi son drapeau, mais hésitait à l'abaisser. Le hors-jeu était discutable. Au départ de l'action, Luciano et le joueur étaient presque sur la même ligne. Il s'en fallait de bien peu.

Corentin prit une inspiration, puis abaissa fermement son drapeau, indiquant le hors-jeu. Exprimait-il là sa véritable conviction ou subissait-il un charme ? Allez savoir !

Sur le terrain, l'arbitre avait vu le geste de Corentin. Il suspendit le match et vint consulter son juge de touche. L'un et l'autre avaient bien du mal à se comprendre étant donné les cris du public et la pression des joueurs autour d'eux. Le capitaine de Custine protestait énergiquement. Selon lui, il n'y avait « pas plus de hors-jeu que de beurre sur le feu » ; c'était « le but, net et sans bavure ». Ce à quoi le grand Biloute rétorquait que le hors-jeu était « en or et aveuglant », et que, si le but était accordé, « c'était un coup auquel il serait bien difficile d'y passer, et que ça pourrait couper les pattes à son équipe ». Le Grand ajouta que, dans ces conditions, le résultat du match serait « tordu ». Dans les gradins, le public se déchaînait. On était loin des gentils : « Ho ! hisse ! » qu'on échangeait l'instant d'avant d'une tribune à l'autre. Les supporters de Custine poussaient en direction de l'arbitre de véritables cris : « Le but ! Le but ! Le but ! Le but ! », et du côté Briqueteux on scandait follement : « Hors-jeu ! Hors-jeu ! Hors-jeu ! » Puis d'une tribune à l'autre, les injures volèrent de part et d'autre du terrain : « Tricheurs ! Lèche-culs ! Jaloux des autres ! Faces de rats !... »

Sur la pelouse, quelques acteurs du match se tenaient à l'écart du débat et en profitaient pour récupérer. C'était le cas de Vincent-de-la-poterie qui confiait à Popaul :

– Qui s'débroul'tent ! Mi, je suis mate * ! J'me repose.

Et d'autres joueurs se jetaient avidement sur les bouteilles d'eau qu'on leur faisait parvenir.

Corentin et l'arbitre avaient fini de parlementer. En dépit du bruit qui les entourait, ils avaient pu se comprendre et s'étaient tout dit... Les traits de Corentin exprimaient la plus totale conviction. « Hors-jeu », redit-il fermement. L'arbitre n'hésita plus.

---

* En patois du Nord : « Qu'ils se débrouillent ! Moi, je suis fatigué. Je me repose. »

Il décida de suivre son juge de touche et de valider le hors-jeu. Le but fut refusé.

Peu importe le tumulte qui s'ensuivit et dans lequel toutes les expressions permettant de crier la colère ou la joie se mêlaient. On y relevait d'ailleurs des rimes inattendues : « Acheté ! Vendu ! Pourri ! Salaud ! » répondaient aux : « Bien fait ! Dans l'cul ! Ho ! hisse ! Bravo ! » Peu importe ! Et peu importe aussi l'aspect du jeu qui reprit, et où le ballon fou courait d'un but à l'autre. Peu importe, car on vivait la dernière minute de la première mi-temps. L'arbitre ne tarda pas à siffler la pause.

Le score était nul. Zéro à zéro. Les joueurs regagnèrent les vestiaires. Dans un coin du stade, le « Cher l'Abbé » les regardait sortir. Son œil bleu balayait le terrain, délivrant sans doute aux Briqueteux un message silencieux. Mais les garçons n'étaient pas en état de le capter. Comme l'avait si bien dit Vincent à Popaul, ils étaient mates, tellement mates !

UN ÉTRANGE MESSAGE

Dans les vestiaires, ils s'écroulèrent sur les bancs. Les Choutes leur avaient préparé du « fraîche café bouillante », avec une bonne cuillerée de miel, et, « pour les ceux qui en voulaient », un peu de gnole. C'était du genièvre, que le père de Thérèse fabriquait lui-même avec des fruits sauvages. Rien à voir avec le « tord-boyau » qu'on vendait dans les cafés. C'était délicieux et revigorant. Chacun en demanda une « tite goutte » qu'on mêla au café.

Ils buvaient ; ils laissaient les Choutes et leurs copains panser leurs écorchures et masser leurs muscles douloureux. Ils s'abandonnaient à ce moment de bien-être, tout en écoutant Jef. Celui-ci ne les assommait pas de consignes. Il leur répétait des mots simples : « Ne pas s'affoler, garder la balle plus longtemps pour organiser le jeu... » Puis il évoqua quelques figures de jeu qu'il était possible de construire, et qui pouvaient s'avérer payantes. Ils l'écoutaient... Soudain, la porte s'entrebâilla. Les Briqueteux tournèrent la tête et leurs cœurs se mirent à battre très fort ; mais ils ne bougèrent pas. Car on n'acclamait pas Fallotin, ami du silence. Il pénétra dans la pièce, se plia en Z comme il en avait l'habitude, mi-accroupi, mi-assis, et il se tint un instant au milieu d'eux. Maigre, fripé, et de couleur indéfinissable par ses vêtements, il avait l'air d'une feuille morte. Mais son regard révélait qu'il savait des tas de choses. Il but le café avec eux. Ils le regardaient, et ils étaient heureux. Fallotin était là, le Bois Tiercelin était là. C'était bien.

Le café bu, Fallotin se leva, enfonça sa casquette jusqu'aux yeux, et fit un signe d'au revoir. Il n'assisterait donc pas à la seconde mi-temps. Personne ne lui demanda pourquoi, et non plus comment il regagnerait Bequerin.

– Salut ! lui dirent les Briqueteux.

Joé le rejoignit dans le couloir :

– T'es un pote !

Fallotin hocha la tête.

– Tu crois qu'on va gagner ?

Les yeux de Fallotin se foncèrent :

– Faudra que quelqu'un entende le souffle, finit-il par dire. Et il répéta après un silence : Oui, faudra que quelqu'un l'entende...

– Tu crois qu'on l'entendra ?

Fallotin regarda longuement son ami, et Joé comprit tout ce que ce regard exprimait :

– Ça dépendra... Il faudra que la vie soit d'accord... Il faudra que ça en vaille la peine... Et puis, le souffle passe toujours très haut. Il faudra savoir se hisser jusque-là pour l'attraper... Pas facile !

Fallotin s'éloigna. Le cœur serré, Joé regagna les vestiaires.

Les Choutes ne s'y trouvaient plus. Elles étaient parties en direction du local des arbitres. Jeannine était déjà en conversation avec Tony. Le garçon lui dit que les Briqueteux « avaient eu du pot » en ce qui concernait le but refusé. Il ajouta que Custine dominait incontestablement, mais que les Briqueteux avaient quand même de bons atouts, notamment avec Jean-Louis Finette, et Alain-la-foudre quand il n'était pas trop personnel. Tony conclut qu'en seconde mi-temps, « tout pouvait encore arriver ».

L'arbitre, Benoit-Victor, était également sorti des vestiaires, et Bellotte échangeait des propos avec lui. Il écouta attentivement la jeune fille lui expliquer en quelle circonstance les Briqueteux avaient connu l'abbé. Benoit-Victor trouva tout cela « très sympathique », et dit que les Briqueteux étaient « chouettes » de venir rendre visite aux Custinais. Il en espérait pour l'avenir « une belle camaraderie entre les deux équipes ». Bellotte pensa qu'il y avait des gens qui se faisaient des illusions, mais elle s'abstint, bien entendu, d'exprimer cette pensée.

Quant à Corentin, il n'allait pas tarder et Ninon l'attendait de pied ferme.

La fin de la mi-temps approchait. L'arbitre ordonna aux joueurs de regagner le terrain. Les Briqueteux quittèrent leur vestiaire. La fatigue marquait leurs visages, mais, à leur expression, on pouvait voir que leur volonté n'était pas entamée.

CARTON ROUGE !

Le match recommença et le jeu prit rapidement une autre tournure. Il devint plus équilibré, le ballon circulant d'un camp à l'autre d'une façon quasiment égale. Du côté Briqueteux, on construisait mieux son football, et l'on se montrait moins précipité. Du côté custinais, on soufflait un peu, les instants fous de la première mi-temps ayant laissé des fatigues dans les jambes.

Ces premières minutes virent surtout la consécration d'un joueur : ce fut le quart d'heure du Roi-des-Énigmes. Ce dernier avait quitté le terrain, la mine basse, à la mi-temps. Dans les vestiaires, il n'avait pas parlé. Furieux, mais avec une attention aiguë, il avait écouté Jef donner ses conseils. Pour lui, il n'y avait aucun doute : le manque de coordination des Briqueteux était essentiellement de sa faute. Il était le libero de l'équipe, il aurait dû construire le jeu. En réalité, le garçon s'était heurté à deux problèmes qu'il n'avait pas su résoudre sur le terrain : le jeu du joueur custinais qui le marquait ; et la tactique d'ensemble de l'équipe de Custine, qu'il n'était pas parvenu à analyser.

Quand Jef avait achevé de parler, le Roi-des-Énigmes s'était isolé. Il avait revu toutes les phases du jeu au cours desquelles il s'était mesuré à son garde du corps. Il avait été dominé le plus souvent par le garçon brun et ébouriffé qui l'attaquait. C'était un joueur agile et opiniâtre. Il se plaçait devant le Roi-des-Énigmes, l'obligeait à reculer par de petits piétinements offensifs, et profitait alors de ce que le Briqueteux couvrait moins bien sa balle pour la lui subtiliser. Quant au jeu de Custine, il lui apparaissait comme étant essentiellement transversal. La balle partait du gardien, arrivait sur le libero qui la ravissait souvent de la tête à Biloute ; de là, le ballon fusait sur une aile où un avant le gardait quelque temps, attirant sur lui des adversaires ; puis brusquement, la balle filait sur l'aile opposée où un équipier démarqué l'attendait. À partir de là, Custine se ruait vers les buts.

Avec le recul de la pause, le Roi-des-Énigmes percevait nettement la tactique du jeu custinais. Il avait imaginé des parades pour perturber ses adversaires. Il les essayait à présent, et cela semblait réussir. Deux fois, le libero de Custine l'avait attaqué, et deux fois le Roi-des-Énigmes était sorti gagnant de l'affrontement. C'était tout simple : le jeune Briqueteux laissait venir son adversaire ; il le laissait commencer son piétinement offensif, puis il passait la balle en retrait à Joé, et la récupérait tout aussitôt en se démarquant latéralement. Ou bien encore, il pratiquait la technique du « petit pont », que Jef lui avait enseignée. Il allait au-devant de son garde du corps, cherchant l'affrontement, et, avant que le joueur adverse n'ait pu s'organiser, il lui glissait subtilement la balle entre les jambes et la récupérait un peu plus loin.

La clef du problème était donc : ne pas laisser l'adversaire développer son jeu. Le joueur de Custine s'en trouvait déconcerté. Or, ce qui était vrai pour le duel des deux joueurs, l'était aussi pour l'affrontement général entre les deux équipes. Il fallait désorganiser le bel ensemble des Custinais, contrarier les fondements de leur jeu. Le Roi-des-Énigmes s'y employa. Il avait observé que Popaul était marqué par un joueur assez lourdaud. Dès lors, il orienta souvent le jeu de ce côté. Il centrait vers Popaul. Celui-ci l'emportait à la course sur son garde du corps et captait le ballon. Il le passait rapidement à Jacques ou à Charlot. L'un ou l'autre descendait le terrain balle au pied, puis il cherchait Biloute ou Alain-la-foudre, très près des buts. Le Roi-des-Énigmes inventa ainsi plusieurs combinaisons : triangulaires, circulaires ou zigzagantes, où les passes longues alternaient avec les passes courtes. Cela marchait.

Les Custinais étaient désorganisés et jouaient moins bien qu'en première mi-temps. Leur football était plus lent, leurs passes moins précises. Cependant, ils ne s'affolaient pas. D'où l'impression qu'avait le public d'un football équilibré.

Mais ce jeu élégant ne payait pas. Au fil du temps, il semblait même qu'il devenait stérile, car on n'enregistrait aucun tir au but. Et le public, qui était encore sous le coup de la première mi-temps, souhaitait que la rencontre redevienne plus mouvementée.

Il faillit bien être exaucé à la 52ème minute. Le Roi-des-Énigmes passa la balle à Popaul qui descendit le long de la touche droite. Lorsqu'il se vit attaqué, le jeune Briqueteux donna le ballon à Kléber, lequel fila en crochets rapides vers le but. À quinze mètres de la cage, il tira en force.

Le public fit : « Hon ! » et cela ressemblait au passage du métro sur un pont aérien. Tous les gradins des tribunes vibrèrent. C'est que la balle avait frappé violemment la barre transversale de la cage. Les Briqueteux, accourus des quatre coins du terrain, se pressaient autour de l'arbitre et réclamaient le but. Car, pour eux, nul doute n'était possible : c'était sous la barre que le ballon avait cogné. Par conséquent, il était entré dans la cage, et de ce fait le but était marqué. Les Choutes s'apprêtaient à orchestrer ces revendications. Mais Jef les fit taire. Le ballon avait frappé le devant de la barre, non le dessous ; il n'avait pas pénétré dans la cage.

Thérèse lança quand même autour d'elle des phrases du type : « Y en a qui l'ont échappé belle ! » Il lui fut répondu que « C'était à chacun son tour de faire choublanc », et que « Quand on est bigleux, on porte des lunettes ! »

Cet échange de propos ragaillardit les supporters, qui retrouvèrent la forte tension de la première partie. Une sorte d'électricité se mit alors à courir dans les tribunes. Elle ne demandait qu'à augmenter son voltage. Le destin allait lui en donner l'occasion.

Joé reçut la balle sur une passe de Kléber. Le garçon était inquiet. Il croyait au pronostic de Fallotin : « Il faudra que le souffle passe, et que l'un de vous le sente. » Or, à l'évidence, il ne se passait rien. Aucun Briqueteux ne semblait avoir perçu la présence du « souffle ». Et les minutes s'écoulaient. Le gros Joé s'angoissait. Il descendit vers le but, balle au pied. Il écarta d'un dribble ferme le stoppeur de Custine qui l'attaquait, et continua d'avancer.

Un deuxième joueur se porta vers lui. C'était le libero custinais. Épaule contre épaule, il accompagnait Joé et tentait de lui ravir le ballon. Le garçon jouait bien. Ses tacles étaient accrocheurs mais corrects. Par deux fois, Joé trébucha, et l'on crut que l'action se terminait. Mais le gros Joé se débarrassa de son adversaire et fila au but.

Le jeune Briqueteux n'était plus à présent qu'à vingt-deux mètres de la cage adverse. Et soudain, il ressentit des picotements dans les cheveux. C'était comme un frémissement à la fois fort et léger. « Le souffle ! pensa Joé. Le souffle, nom de Dieu ! Je l'ai ! Je vais marquer ! Oh ! merci, merci ! » Et en même temps, il se disait : « J'ai le souffle... il ne faut pas que je le perde... il faut faire gaffe pour le garder... »

Le public commençait à s'agiter. Le gardien de Custine était à l'affût dans sa cage. Joé n'entendait rien, ne voyait rien. En vain, Popaul s'égosilla à lui demander la balle. Joé savait qu'il ne pouvait pas perdre celle-ci, et non plus la transmettre à quelqu'un. Il avait le « souffle » ; il allait marquer...

Il s'approchait des dix-huit mètres. Son cœur était déjà en fête. Tout près de la ligne blanche, il arma son tir... et soudain s'écroula. L'arrière droit custinais venait de le faucher. La faute n'avait pas été commise dans la surface de réparation ; il s'en fallait d'un demi-mètre. L'arbitre siffla donc un coup franc. C'était là une pénalité intéressante, dont un bon tireur pouvait faire quelque chose.

Les supporters de Custine ne pipaient pas, et Jef se demandait qui, de Popaul ou de Kléber, allait tirer le coup franc, quand le gros Joé se releva. Il était aussi raide et compact que du granit. Il fit trois pas, rejoignit son agresseur, et, d'une droite fulgurante, le frappa :

– Charogne !

Le joueur custinais s'écroula. Le public fit un « Ah ! » immense, puis se tut. Jef blémit. Fanette ferma les yeux. L'arbitre sortit de sa poche un carton, et chacun put en voir la couleur. Rouge ! Il était rouge : le gros Joé était exclu du terrain.

Vincent se cacha le visage dans ses deux bras, se disant à mi-voix ce que chaque Briqueteux pensait à cet instant :

– Malheu de malheu ! Il va virer le Gros ! On va jouer à dix contre onze, maintenant !... Eh ben, on est propre !

Et dans la tête de l'Orateur, les ondes-pensées affluaient avec une telle intensité qu'elles se télescopaient. Toutes, cependant, finissaient par aboutir au même mot : Catastrophe !

Le gros Joé était encore sur le terrain. Sa pâleur était impressionnante. Sur son visage, il n'y avait aucune expression. Devant ses copains atterrés, Joé portait le masque du néant. Il traversa le terrain à pas lents, et le silence du public semblait dérouler sous ses pas un tapis. Livide, il atteignit les tribunes et s'écroula dans les bras de Fanette :

– On avait le souffle, Fanette !... On avait le souffle, murmura-t-il. Et j'ai bourlé à cause de ce gros con !... Maintenant, on est foutu !

ATTAQUE...

Le match reprit. Le coup franc fut tiré par Popaul. Les Briqueteux avaient choisi ce dernier en raison de la colère où l'avait jeté l'exclusion de Joé. Biloute et ses copains misaient sur la rage de leur camarade pour marquer. Mais ce fut le contraire qui se produisit. Trop énervé, Popaul manqua son tir, et le ballon passa au-dessus de la cage.

Le gardien de but de Custine dégagea. On approchait de la 62ᵉ minute. Le jeu devint haché. Le ballon fusait dans un camp, pour repartir aussitôt dans l'autre, sans qu'on ait l'impression de voir se construire des actions. C'était un football un peu fou.

Les tribunes elles aussi avaient des réactions bizarres. Des cris forts y retentissaient parfois, pour retomber aussitôt et faire place à des silences profonds. Mais on sentait qu'à tout instant le stade pouvait exploser dans le bonheur ou la colère.

Les Briqueteux luttaient vaillamment. Ils

avaient abandonné toute tactique. À dix contre onze, ils tourbillonnaient pour combler le vide laissé par Joé. Ils se regroupaient pour défendre leur but, se déployaient ensuite pour tenter une attaque, se rassemblaient à nouveau... Biloute résumait cela d'une formule : « Maintenant, c'est à l'abordage ! »

Du côté custinais, le désordre était aussi grand. On centrait, on canonnait, on bousculait l'adversaire jusqu'à la limite de la faute ; on jouait furieusement pour tenter d'arracher la victoire.

Dans cette situation, les joueurs les plus légers s'épuisaient. Vincent-de-la-poterie confiait ainsi à Kléber :

– Mon café, i'passe pas. Je fais des reupes *.

Et Charlot Bidu s'arrêta par deux fois parce qu'il souffrait de crampes. Jeannine l'entendit qui pestait :

– Saleté de guibole, va ! Ah ! malheu de malheu ! Fallait bien que ça m'arrive maintenant !

La 65eme minute arriva. Plus qu'un quart d'heure avant la fin du match. Une action

* Des renvois.

confuse se noua au centre du terrain. Biloute avait la balle ; il la perdit au profit d'un arrière custinais. Charlot Bidu la reprit à ce dernier ; il en fut aussitôt dépossédé par un joueur adverse. Celui-ci essaya de partir balle au pied, mais Kléber l'attaqua et lui chipa le ballon. Il centrait vers Alain-la-foudre, quand le libero de Custine parut littéralement se soulever du sol. Sur son visage, on pouvait lire la seule pensée qui l'habitait : « Marquer ! » De la tête, il intercepta le ballon, le contrôla de la poitrine, puis, rassemblant tout ce qui lui restait d'énergie, il fila comme un chat-tigre vers les buts. Sur ses joues, les taches de son étaient tellement avivées par la sueur qu'elles ressemblaient à des étoiles posées sur une peau écarlate. Il ne courait pas, il volait. Son maillot, dans son dos, ressemblait à la queue d'une comète. Sorti du short, il tenait raide derrière lui.

L'attaquant pénétra dans la surface de réparation. Il contourna Luciano stupéfait. Les crampons de ses chaussures raclaient le terrain. Il fut à douze mètres, à dix mètres, à six mètres de Finette qui l'attendait anxieusement, et là... « À la guerre comme à la guerre ! » se dit le grand

Biloute, qui avait fini par rejoindre l'adversaire. Il n'y avait plus qu'une chose à faire pour empêcher le joueur de marquer. La mort dans l'âme, le grand Biloute, le capitaine des Briqueteux, tendit la jambe et faucha l'adversaire.

Le garçon s'écroula. Il sembla à Biloute que tous les chefs de gare de la S.N.C.F. sifflaient en même temps à ses oreilles. Benoît-Victor « y avait regardé de très près » et n'avait eu aucun doute sur la nature de l'action. Et même s'il y avait « regardé de moins près », il aurait vu la faute tant celle-ci était évidente. Il n'existait qu'une façon de sanctionner ce genre d'agissement. Et le charme des Choutes n'y pouvait rien : l'arbitre siffla en toute justice le penalty.

On aurait dit qu'un couvercle de ciment était tombé sur le stade et avait assommé le public. Le silence était si épais qu'il semblait qu'on pouvait le toucher. Ça n'était pas que le public custinais plaignît les Briqueteux ; c'est que cette victoire, qui allait enfin prendre corps lui serrait la gorge. Elle était là. Dans une minute, les supporters de Custine seraient délivrés. Leur équipe allait marquer, et alors leur joie éclaterait. Ce bonheur les intimidait à l'avance. Et ils se taisaient.

Sur le terrain, Biloute était figé. Tous les muscles de son corps se contractaient pour éviter que n'arrive ce désastre : pleurer ! Le garçon fixait les buts d'un regard morne et hébété. Car le ballon de l'adversaire allait y pénétrer dans un instant, c'était sûr ! Les Custinais allaient marquer le penalty, et gagner !

Les autres Briqueteux se regardaient et se taisaient. La fatigue coulait dans leurs corps comme du plomb fondu. Chacun d'eux se sentait seulement las et douloureux.

L'avant-centre de Custine se dirigea vers le point réglementaire. C'était lui qui allait tirer le penalty. Finette se préparait, le regard concentré et les jambes pliées. Le silence dans le stade était total. L'arbitre siffla. Le joueur de Custine prit son élan, et tira en force.

Finette, au sol, écoutait la terre trembler. Puis une mer de « bravos » la recouvrit comme un manteau princier. Sur l'herbe, il y avait ses cheveux blonds, son maillot jaune, et dans ses bras, bien à l'abri, bien serré, le ballon de cuir.

Jean-Louis Finette venait d'arrêter un penalty.

... CONTRE-ATTAQUE

Il restait neuf minutes à jouer. C'était bien court pour forcer le destin. On s'acheminait vers un résultat nul, et plus d'un spectateur trouvait que c'était juste. Les Choutes elles-mêmes se disaient qu'après tout l'honneur des Briqueteux était sauf, qu'ils pourraient quitter le stade la tête haute, et qu'ils trouveraient bien un autre moyen d'en découdre avec les Custinais. Les joueurs, eux, ne pensaient plus. Ils étaient pris dans une sorte d'ivresse, faite de fatigue, d'admiration pour l'exploit de Finette, et de l'effort incessant qui leur était toujours demandé. Car le jeu demeurait tournoyant. Il s'éparpillait en actions heurtées qui éclataient d'un bout à l'autre du terrain. Il fallait tout surveiller, être partout, tourner avec ce ballon fou pour empêcher l'adversaire de marquer. C'était épuisant. Les joueurs donc ne pensaient plus, à l'exception de l'un d'eux. Le grand Biloute avait le cœur plus lourd que les jambes et les pensées se bousculaient dans sa tête.

D'abord, il portait en lui une plaie vive : lorsqu'il tournait la tête et qu'il voyait Joé, lamentablement assis dans les tribunes parmi les Choutes, il serrait les dents. Il avait honte de le voir ainsi désarmé.

Biloute était capitaine, et en tant que tel, il était responsable de Joé. Or, il n'avait pas su le protéger. Il n'avait pas su prévoir le geste de son copain. Et quand il regardait le terrain, et voyait ses camarades se démener, les traits tirés, les maillots boueux et mouillés de sueur, il se disait que c'était en pure perte. Car le match nul n'était pas la victoire. C'était l'égalité. Or, le grand Biloute en était convaincu : les Briqueteux n'étaient pas semblables aux Custinais. Ils étaient « autres ». Et c'est cette différence qu'il fallait affirmer par une victoire.

Le grand Biloute regarda la pendule du stade : on était à cinq minutes de la fin du match. Il détailla le terrain où une action engagée par Kléber était en train de tourner court sur l'aile droite. Un bref instant, comme on prend le conseil de quelqu'un, le grand Biloute scruta l'horizon. Celui-ci était gris et fermé. La vie semblait répondre : « Il ne faut compter que sur vous-mêmes. »

Biloute baissa les yeux et tressaillit. Il venait de redécouvrir sur son bras la présence d'un bandeau bleu. Le brassard de capitaine. Jef le lui avait remis avant le match. Capitaine ! Biloute savait qu'on n'est pas capitaine par la grâce d'un insigne. On le devient lorsqu'on accomplit un acte dont chacun s'accorde à dire : « Voilà le geste d'un capitaine. » C'était cela qui avait manqué aux Briqueteux : un vrai capitaine.

Il ferma les yeux. À ce moment, Popaul le sollicita. Il lui passa nerveusement le ballon. Biloute se trouvait sur l'aile droite, à trente mètres des buts adverses. Il descendit balle au pied, le long de la touche. Son front était buté et son corps dur. Et soudain, une idée se fit jour dans son esprit, exactement comme la lumière d'une éclaircie visite le ciel après un orage. Capitaine ! Il allait se comporter en capitaine. Voilà.

Alors, le grand Biloute se concentra. Sa fatigue, la technique, le public, les Choutes, et même le « Cher-l'Abbé », s'effacèrent de son esprit. C'était sa dernière chance.

Il ne se rendit même pas compte qu'il

avait écarté au passage deux joueurs custinais et que tout le stade avait désormais les
yeux sur lui. Il continuait de descendre le
long de la touche, farouche et puissant.
Capitaine, nom de Dieu ! Il serait capitaine.

Le grand Biloute était au point de corner
droit quand l'arrière custinais l'attaqua.
Celui-ci eut peur en croisant le regard du
Briqueteux : un regard de pierre où s'ins-
crivait une volonté totale. Le joueur custinais se troubla, et Biloute passa.

Il courait le long de la ligne de but maintenant et le stade ébahi le regardait faire. Il
était très près du but adverse. Son visage
exprimait toujours la même résolution. Il
leva les yeux pour préparer son tir et
découvrit alors le bloc de joueurs qui se
trouvaient devant lui. Custinais et Briqueteux avaient accompagné sa descente et
s'étaient regroupés massivement devant le
but. Impossible de réussir un tir dans ces
conditions ! La balle ne pouvait que rico-
cher sur le dos de quelqu'un. Une grimace
déchira alors le visage de Biloute. Le capitaine se dit un instant qu'il ne vaincrait pas.
Mais soudain il vit Alain-la-foudre démarqué en retrait. Il lui passa la balle. Le petit

avant-centre héritait là de la dernière chance des Briqueteux.

L'astucieux Alain fit quelques pas, balle au pied, sur la gauche. Les joueurs custinais accompagnèrent son mouvement. Alors, en bolide, de façon fulgurante et précise, Alain repassa la balle à Biloute maintenant démarqué, mais qui tournait le dos au but.

Et tout alla très vite. Biloute se sentit décoller du sol. Ce « ciseau retourné », si difficile à faire, ce geste technique que Jef leur avait patiemment enseigné à l'entraînement et que peu de footballeurs maîtrisent, il le réussit... dans « un souffle ». Il ne vit pas qu'il avait marqué le but, car il était tombé à la renverse après son tir ; mais il entendit le public le lui dire. Une énorme clameur montait au ciel et annonçait qu'un capitaine venait d'être sacré : « Y est ! »

Les Briqueteux se précipitèrent. Ils entourèrent leur camarade et le couvrirent de bravos. Lui demeurait au sol, agenouillé. On l'adoubait capitaine...

Fanette pleurait de joie. Le gros Joé tapait du poing dans le ciment d'un poteau : « Hourra, le Grand ! Hourra ! » Fallotin avait raison : la victoire des Briqueteux ressemblait à un prodige.

Dans les tribunes, l'abbé participait à l'émotion générale. Instinctivement, il avait une réaction qui était rare dans sa vie : il avait fermé les yeux.

Le gardien custinais ramassa tristement la balle au fond de ses filets. Elle fut remise en jeu. Et quelques minutes après, Benoit-Victor siffla la fin du match. Les Briqueteux emportaient avec eux la victoire.

LE SERMENT

Ils regagnèrent les vestiaires et s'assirent. Des vapeurs de fatigue semblaient s'échapper de leurs corps. Ils ne se dévêtirent pas tout de suite. Ils restèrent un moment dans leurs maillots bleus, sur lesquels les éclaboussures de boue et les taches de sueur sentaient la victoire. Ils étaient très las, et tout autant heureux. Ils se taisaient.

Soudain, la porte s'ouvrit et le « Cher l'Abbé » parut. Sa soutane s'engouffra avec lui dans la pièce. Il croisa les bras, regarda les Briqueteux, et dans un silence total, il dit :

– Il n'y a de Briqueteux qu'à Bequerin.

Biloute ferma les yeux. Joé sentit toutes ses fatigues le quitter comme un chevalier qui retirerait une à une les pièces de sa lourde armure. Le cœur de tous les Briqueteux éclatait de joie. Le prêtre referma les bras sur les deux garçons qui se trouvaient près de lui : Vincent et l'Orateur. Les deux plus jeunes. Puis il sortit.

Les Briqueteux repartirent vers Bequerin. Dans le tramway qui les ramena à Lille,
ils dirent au revoir à Jef. Il n'y eut pas de
grands mots, mais Jef sut que ces enfants
lui adressaient un merci tout particulier. La
reconnaissance des Briqueteux lui était
vouée pour toujours.

Sur la grand-place de Lille, les Choutes
s'éparpillèrent comme s'ouvre une
ombrelle printanière. Multicolores et
joyeuses, elles repartirent vers leurs fous
rires, leurs amours, leurs études, leur avenir. Seule Fanette resta avec les Briqueteux. Ceux-ci firent pleuvoir sur les Choutes
des « Au revoir », des « Merci ! » et des « À
cul ! », brillants de gentillesse.

Puis ils arrivèrent à Bequerin. Ils ne regagnèrent pas tout de suite leurs maisons.
Tous ensemble, avec Fanette, ils allèrent
dans le Bois Tiercelin. Ils s'avançaient sous
les arbres, tandis que dans la nuit claire les
premières étoiles s'allumaient. Ils arrivèrent dans la carrière. La lune dorait ses
grandes pierres blanches. On aurait dit les
touches d'un piano géant.

Alors, Fanette tira de sa poche un fin rouleau qui ressemblait à un parchemin. Elle
expliqua aux Briqueteux qu'on placerait ce

message dans un petit creux de la carrière et qu'on boucherait ensuite cette fente soigneusement pour que le papier soit bien à l'abri, que personne ne le voie, et qu'il y demeure à jamais. Les Briqueteux furent d'accord.

Ils connaissaient le texte que Fanette avait rédigé, mais ils lui demandèrent quand même de le relire :

Cher Bois Tiercelin, nous voici de retour. Nous venons d'un lieu où nous ne retournerons jamais. Nous sommes très fatigués, très heureux. Victorieux. Entoure-nous de tes grands arbres et de ta belle nuit. Tu es notre vie. Et c'est à toi que nous confions pour toujours notre victoire.

On vit alors une casquette apparaître furtivement entre les branchages. Elle était couleur de poussière. Elle bougea, comme pour approuver. Les Briqueteux sourirent et surent qui était là. Dès lors, leur bonheur fut parfait.

Fanette introduisit le mince rouleau de papier dans la fente d'une pierre. Joé ramassa un caillou pour fermer la fissure. C'était un petit silex, blanc et pointu. La lune s'en empara et le fit scintiller.

Alors les Briqueteux se retirèrent paisiblement et rentrèrent chez eux. Dans ce bois qu'ils aimaient tant, dans cette forêt de leur belle aventure, il y avait désormais une étoile.

L'AUTEUR

GILBERTE NIQUET est Maître de conférences à l'Université de Lille. Elle dirige au « Centre Universitaire d'Education Permanente » le département d'enseignement du français. Elle publie « Le Jour du match » au profit de l'association « CHOISIR L'ESPOIR », qui s'efforce d'aider les enfants atteints de cancer ainsi que leurs familles.

L'ILLUSTRATEUR

CHRISTIAN MAUCLER est né le 6-12-1961 à Bonneville en Haute-Savoie, mais il s'est mis à faire du ski à partir du moment où il est parti à Strasbourg suivre le chemin des écoliers de Claude Lapointe.
Dans la mesure du possible, il essaie de travailler en voyageant ; si cela ne peut se faire, il travaille, puis il voyage... Ce qui lui fait dire qu'il aurait aimé être de ces hommes qui dessinèrent les « cahiers de voyage » des siècles passés. L'image l'intéresse beaucoup, et il fait autant que possible des animations sur l'image, sur la création de l'image, et puis surtout, il s'intéresse de plus en plus aux gens, à en devenir une paire d'yeux, un peu voyeur, distant mais qui regarde, écoute toujours dans un souci narratif. Que dire ? Qu'il y a encore plein de bonnes histoires à dessiner parce que la terre est pleine de gens fascinants...

informations
cascade

SAVEZ-VOUS QUE

– Le football est le sport le plus populaire en France avec 1 794 030 licenciés répartis en 22 829 clubs.

– Mais, dans le monde, c'est le basket qui est le plus pratiqué, avec plus de 70 millions de licenciés (contre 35 millions pour le foot).

– Le meilleur buteur de Coupe du Monde de tous les temps est le Français Just Fontaine, avec treize buts (1958).

– Ces gestes sont interdits au foot : toucher la balle de la main. À terre, continuer à frapper la balle. Tenir un adversaire par le maillot ou le bras, lui faire un croc-en-jambe, lui donner un coup de pied, le charger de façon volontairement dangereuse.

LE NORD DE LA FRANCE

Une longue frontière commune avec la Belgique, un bras de mer de 30 km bientôt franchi par le tunnel sous la Manche pour rejoindre la Grande-Bretagne, le « Nord » de la France est loin d'être une région inaccessible et excentrée. Elle est au contraire au cœur de l'Europe, plaque tournante largement ouverte sur les Pays-Bas, l'Allemagne, la Belgique et la Grande-Bretagne.

« Plat pays », morne plaine hérissée de terrils et de cheminées d'usine, encore une idée reçue bien loin de la réalité. Le Nord est un pays tout en nuances, aux contrastes multiples : collines de la Thiérache, forêts séculaires des Ardennes, plages de sable fin, landes ou falaises crayeuses du Boulonnais qui a reçu le joli nom de côte d'Opale. Si les étés y sont frais, l'hiver est doux et le ciel, balayé de nuages, offre un spectacle toujours renouvelé dont la luminosité a séduit de nombreux peintres.

Région industrielle dont les mines de charbon et l'industrie textile ont longtemps fait la renommée, le Nord est aussi un riche terroir. Boulogne est le premier port de pêche français.

La population des villes, qui compte 10 % de la population urbaine française, représente l'une des plus fortes densités européennes. Les gens ont la réputation d'être gais, accueillants, chaleureux. C'est une région où l'on sait s'amuser, comme en témoignent les kermesses (les « ducasses ») et les carnavals où défilent les fameux « Gilles ».

UNE EXPÉDITION ORIGINALE

CENTRE HISTORIQUE MINIER
Rue d'Erchin
LEWARDE 59287 GUESNAIN – 27.98.03.89

Accès	À partir de la RN 45, entre Douai et Valenciennes.
Ouverture	Du 15 janvier au 22 décembre. Fermé les 1er mai et 1er novembre. De 10 h à 19 h (fermeture de la billeterie à 16 h).
Tarifs	Individuel : 40 F. Groupes d'adultes (à partir de 20) : 35 F. Groupes scolaires (forfait classe de 30) : 310 F.

★ **DÉCOR.** Reconstitution de galeries d'extraction du charbon et du monde de la mine en général. Cage simulant la descente dans la mine.

★ **RESTAURATION.** Brasserie restaurant avec piste de danse. (Fermé le lundi du 8 octobre au 7 décembre.) Aire de pique-nique avec buvette, friterie, crêperie (du 1er avril au 15 octobre).

Des anciens mineurs vous feront vivre ici la mine comme si vous y étiez, du bureau du chef porion à la salle des pendus en passant par la reconstitution in situ de toutes les opérations d'extraction. 450 mètres de galeries ont en effet été réalisées avec des matériaux authentiques ; vous les emprunterez en train de personnel mais aussi à pied (chaussures de marche conseillées) pour découvrir les mineurs dans leur travail quotidien. Beaucoup moins spectaculaire que la course poursuite des Aventuriers de l'Arche Perdue mais beaucoup plus instructif. De 1 000 tonnes par jour, la fosse Delloye est passée aujourd'hui à plus de 100 000 visiteurs par an : une belle reconversion.

Guide des parcs de loisirs 1991, Rageot éditeur.

HISTOIRE DU FOOT

C'est sans doute en Chine, vers 2 500 ans av. J.-C., que l'on peut situer l'origine de ce qui deviendra le football. Le jeu, qui servait alors d'entraînement militaire, consistait à envoyer une balle ronde, en cuir, au-delà de deux bâtons fichés en terre.

À Sparte, en Grèce, *l'episkiros* était un sport très populaire qui opposait deux équipes de quinze joueurs. On traçait trois lignes à la craie sur le sol. Le ballon était posé sur la ligne centrale et il fallait essayer, en lançant et en relançant le ballon, de repousser le camp adverse au-delà de la limite de fond.

Dans la Rome impériale, le jeu, devenu *l'haspartum*, fut l'occasion de batailles très violentes.

Fort violente aussi était *la soule* que l'on jouait en France au Moyen Âge avec une balle rudimentaire faite de terre et de paille. La partie, où tous les coups étaient permis, se jouait entre deux communes voisines. Il s'agissait de pousser la balle jusqu'à la commune adverse, et, le match nul n'étant pas admis, l'affrontement pouvait durer plusieurs jours.

Sur d'autres continents, on pratiquait aussi des jeux de balle : chez les Aztèques, au XVIe siècle, c'est *le tlachtli* que l'on jouait avec une balle de résine.

En Italie, *le quico di calcio* s'organise.

Vers 1650, en Angleterre, le terrain prend forme, le jeu se réglemente. Il apparaît sous sa forme actuelle dans les « public schools » anglaises au XIXe siècle, notamment à Eton et Harrow. L'usage des mains est interdit, le football se différencie alors du rugby. La « Football Association » est fondée en 1863.

Le premier club français est le Havre Athletic Club, créé en 1872 par un groupe de marins et d'étudiants anglais. Le premier championnat de France de football est organisé en 1894 entre six clubs parisiens. La première rencontre France/Angleterre aura lieu au Parc des Princes en 1906, et la première Coupe de France est jouée en 1918.

1945-1955 – LES ANNÉES D'APRÈS-GUERRE

Années de turbulence pour la France qui, à peine sortie de la Deuxième Guerre mondiale, voit son empire colonial s'écrouler. La guerre d'Indochine, commencée en décembre 1946, s'achève en 1954, avec la chute de Dien Bien Phu. À peine les accords de Genève sur l'Indochine sont-ils signés que l'Algérie se soulève à son tour. Le Maroc et la Tunisie deviennent indépendants en 1956. Ce sont les dernières années de la IVe République. Le président René Coty laissera en 1958 la place au général de Gaulle, premier président de la Ve République, élu au suffrage universel.

La vie quotidienne des Français va également se trouver profondément modifiée. Aux sévères restrictions des années de guerre va succéder une fringale de consommation. « L'ère Coca-Cola » commence. Les soldats américains de la Libération ont apporté dans leurs bagages bien des nouveautés inconnues en France : coca-cola et chewing-gum, tee-shirts et blue-jeans, qui vont être adoptés par les jeunes... et les moins jeunes. Les bas nylon et les stylos à bille, si banals aujourd'hui, font leur apparition. Le plastique envahit la maison, les premiers self-services, drug-stores et hyper-marchés ouvrent leurs portes.

En 1946, la télévision propose une heure d'émission par jour, entre 16 h 30 et 17 h 30. Le premier relais hertzien entre Paris et Lille est installé en 1952... Au cinéma, on pleure avec *Le voleur de bicyclette* de V. de Sica ou *Stromboli* de R. Rossellini ; on rit avec *Noblesse oblige* ou Fernandel ; on tremble avec *Le troisième homme* de C. Reed ou *L'Inconnu du Nord-Express* d'A. Hitchcock.

Piaf, Montand, Brassens, Brel, Trénet sont les vedettes de la chanson. On lit Sartre, Camus, Steinbeck, Hemingway... sans oublier le roman noir venu d'Outre-Atlantique. Et le déferlement de la bande dessinée ne manque pas d'inquiéter les parents...

L'ÉGLISE CATHOLIQUE

L'Église catholique est formée, d'une part de l'ensemble des **laïcs** baptisés (900 millions dans le monde), et d'autre part du **clergé,** les ecclésiastiques qui ont consacré leur existence à cette Église.

Le **pape** est l'autorité suprême ; il est élu à vie par les cardinaux au cours d'un conclave. Il réside au Vatican, un minuscule État indépendant au cœur de la ville de Rome (Italie).

Les **cardinaux,** choisis parmi les évêques par le pape, sont ses conseillers.

Les **évêques,** successeurs des apôtres qui ont suivi le Christ au cours de sa vie, sont les responsables locaux de l'Église, choisis parmi les prêtres. Les

archevêques et les **primats** sont à la tête de plusieurs évêchés. Il y a en France 93 évêques ou archevêques répartis sur 95 diocèses.

Les **chanoines** assistent les évêques.

Les **prêtres,** qui ont reçu le sacrement de l'ordre leur conférant la mission d'administrer les sacrements, travaillent directement auprès des laïcs. Ils ne sont pas mariés. Parmi les prêtres, les **curés** sont responsables d'une paroisse (territoire dépendant d'une ou plusieurs églises). En Bretagne, les curés sont appelés **recteurs.** Ils sont assistés d'un certain nombre de **vicaires** qui ont une tâche bien définie (aumôniers des collèges, militaires, des prisons, etc.).

Les **diacres** sont des laïcs qui se sont mis officiellement au service de l'Église. C'est l'une des étapes vers le ministère de prêtre, mais des hommes mariés peuvent être ordonnés diacres.

Les **séminaristes** sont en quelque sorte des étudiants. Ils se préparent à recevoir le sacrement de l'ordre qui les consacrera prêtres.

Les **moines** sont des religieux qui vouent leur vie à la prière. Ils vivent en communauté dans un monastère, sous la direction d'un **abbé** ou **prieur.**

D'autres religieux se destinent aux plus déshérités et aux malades. Parmi eux, les **missionnaires** partent dans les pays étrangers.

Un certain nombre de laïcs travaillent également au sein de l'Église. Les **catéchistes** assurent l'enseignement religieux auprès des enfants ou des adultes. Les **bedeaux** et les **sacristains** sont chargés de l'entretien des lieux de culte. Les **enfants de chœur** ou **servants de messe,** assistent les prêtres au cours des cérémonies.

cascade

11-12 ans

cascade

Policier

Association CHOISIR L'ESPOIR
74, rue de la Crête
59650 VILLENEUVE-D'ASQ

Achevé d'imprimer en août 1999
sur les presses de l'Imprimerie Hérissey
à Évreux (Eure)
Dépôt légal : août 1999
N° d'édition : 3355
N° d'imprimeur : 84923